우리는 순수한 것을 생각했다

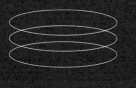 은유

우리는

순수한

것을

생각했다

읽다

아름다움이 없으면 삶은 쓸쓸해진다.[1]

　─최승자

시에 도착하는 사람들

너와 나

청년들과 고정희 시인의 〈사랑법 첫째〉라는 시를 읽었다. 그대 향한 기대를 높이지 않는 것으로 사랑을 지키려는 애절함이 담긴 짧은 시다. 한 친구가 말한다. "오, 라임 죽이네요. 그대와 기대." "맞아요. 운율이 살아 있는 시죠." 나는 얼른 시를 홍보했다. 다 같이 소리 내어 낭독하고 돌아가며 자기에게 침투한 구절을 골랐다. 자유롭게 느낌을 터놓다 보면 각자의 경험이 끌려 나온다. 그대가 게임을 적게 하고 자전거를 같이 탔으면, 문자에 답이 빨랐으면, 곱창 좀 덜 먹었으면 같은 것들이 기대의 목록이다. 자질구레한 일상사, 감정일 땐 커다래도 말로 꺼내놓으면 쪼그라드는 것들. 시에서 출발해 자기에게 도착하는 이야기를 한바탕 떠들고 나서 우리는 수굿이 엎드려 노트에 시를 필사한다. 시를 통로로 분출된 자기 느낌, 욕망, 생각을 차분하게 시어와 포개는 것으

5

로 시 읽기를 마무리한다. 나는 글쓰기 수업마다 짬을 내어 시를 읽는 시간을 마련한다. 누구에게나 필요한 건 아닐지 몰라도 시는 분명 생의 한 시절 피난처가 되어준다는 믿음이 있다. 사랑으로 서러울 때 '그대와 기대'라는 시어를 비상금처럼 꺼내어 쓰도록, 매주 한 편씩 마음의 곳간에 시를 쟁인다.

나와 시

시는 나를 나로 돌려놓는 마법이다. 혼자 읽어도 좋지만 같이 읽으면 두 배로 좋다. 그걸 처음 느낀 건 10년 전이다. 매주 토요일 오후 6시에 시 세미나를 진행했다. 주말 황금시간대에도 불구하고 열 명 남짓 꾸준히 모였다. 먼저 좋아하는 시인 위주로 읽다가 여성 시인의 시로, 미래파 시로, 외국 시로 넓혀갔다. 해질녘까지 대책 없이 놀던 어린 시절처럼 시간을 펑펑 쓰면서 밤늦도록 시를 읽었다. 시를 잘 알았던 건 아니다. 머리로는 이해가 안 되니까 평소 쓸 일이 없던 느낌과 직관과 감정을 가동해야 했다. 그게 뜻밖의 재미를 주었다. 정답이 없어서 오답도 없는 세계. 모르지만 좋아할 수 있고 그건 부끄러운 게 아니라 되레 신나는 일이었다. 시와 붙어 지내며 언어에 집중하는 능력이, 느끼고 생각하는 힘이 조금은 자랐으리라. 아무런 목적 없이 어둑한 조명 아래 둘러앉아 시집을 파던 여덟 번의 계절은 나를 이동시켰다. '나는 생각한다, 그러므로 나는 존재한다'고 말하는 백인 아버지들의 세계에서 '나는 느낀다 그러므로 나는 자유롭다'고 말하는 흑인 어머니의 세계로.[2]

시와 번역가

한국 현대시 번역가에 대한 이야기를 듣자마자 가슴이 두근거렸다. 시가 좋아서 무작정 시를 읽고 자발적으로 다른 언어로 번역해 퍼나르는 사람들이 있다고 했다. 어디에요? 왜요? 처음에는 말 자체를 못 알아들었다. 외국 시를 한국 사람이 보는 건 익숙해도, 한국 시를 외국 사람이 본다는 건 상상이 가지 않았다. 낯선 존재의 출현은 늘 단번에 파악하기 어렵다. 영화 〈시〉에 나오는 대사대로 "시를 쓴 사람이 양미자 씨밖에 없는" 현실에서 읽기도 어려운 시를 외국어로 번역까지 하다니, 그들은 대체 누구일까.

이 책에는 한영 번역가 호영, 안톤 허, 소제, 알차나, 새벽, 한일 번역가 승미, 그리고 한독 번역가 박술까지 모두 일곱 명의 인터뷰가 담겼다. 언뜻 보면 두 개의 언어에 능통하고 문학을 사랑하는 직업인의 서사다. 이야기는 더 멀리 나아간다. 내가 찾은 이들 한국 시 번역가를 아우르는 키워드는 네 가지다. '소수성'과 '자기 돌봄' 그리고 '감탄하는 능력'과 '운동으로서의 예술'이다.

한 개인은 인종, 젠더, 학력, 장애 유무, 가족 형태, 소득 등을 척도로 다양한 정체성이 교차하는 장이다. 이들은 거의 이민자나 유학파로서 언어와 학력 등 문화자본을 가진 주류에 속했지만, 인종과 젠더 등의 측면에서는 근원적인 억압과 차별을 경험했다. "나는 누구인가를 매일 생각해야"(새벽)하는 삶의 조건에 던져졌고, 자기 인식의 집요한 몸부림으로 시에 닿았다. 소설의 등장인물에서 "평범함에 속하지 못하는 자신을 받아들이고 위로할 언어"(승미)를 발견했다. 좋아하는 시와 철학을 두 언어로 바꿔보며 "양쪽 세계에서 배제되는 외로움과 동시에 두 언어를 말하고 싶은 욕구"(박술)를 다스렸다. 나의 행복과 아버지의 행복이 충돌할 때 "나의 행복을 고르는"(알차나) 용기를 준 것도 한국 시다. 이들은 이쪽에도 저쪽에도 속하지 않는 '경계인'의 위치에서 빛과 진실의 열쇠를 쥔 문학과 그 문학을 재창조하는 번역으로 '자기돌봄'을 수행한 것이다.

번역가와 소수성

한국어 실력은 '덕질'에 힘입었다. 그들은 한국을 떠난 세월이 길었지만 K-드라마와 가요, 문학을 넘나드는 SNS 기반의 총체적 덕질로 모국어와 멀어지지 않거나 한국어를 익혔다. 문학 번역은 인권운동과도 만났다. "퀴어와 논바이너리 정치를 논의하고"(호영), 동양인 멸시에 맞서 "우리도 감정과 생각이 있는 사람"(안톤 허)이라는 것을 보여주기에는 문학 번역만 한 게 없다는 소신으로 번역을 중단 없이 이어갔다. 젊은 번역가들에게 기회가 없는 문단 시스템에서 번역가로 생존하기 위해 웹진을 만들거나 1인 에이전시를 자처하는 등 각자의 자리에서 한국문학 번역 판을 키워갔다. 번역 노동자로서 권리를 위한 싸움도 포기하지 않았음은 물론이다.

시 독해와 번역은 정답이 없다. 이러한 혼돈과 불확실성을 편안하게 받아들이는 자가 번역의 세계에서 살아남는다. 그들은 하나의 진리만을 강요하는 가부장제의 공기와 언어에 짓눌리지 않았다. 외려 "시는 정답에 저항하는 장르"라서 해볼 만하고 "무언가를 이겨내는 힘은 공동체에서 나온다"(소제)는 소신에 따라 게릴라처럼 시 번역가 모임을 꾸리기도 했다. 이들 한국문학 번역가의 삶과 손을 거쳐 윤동주, 이상, 김혜순, 이제니, 이소호, 황인찬, 이성복, 김현 등의 시가, 그리고 정보라, 김금희, 최진영, 정세랑, 한정현 등의 소설이 다른 언어권 독자를 만나고 있다.

소수성과 순수

에리히 프롬은 "사랑은 사랑하겠다는 꾸준한 마음가

짐"[3]이라고 말한다. 특정 대상은 사랑을 불러일으키겠지만 사랑의 원인은 아니다. 사랑할 수 있는 능력과 마음가짐이 된 사람만이 사랑을 할 수 있다는 거다. 그러면서 "감탄하는 능력"을 예찬한다. 나는 한국 시 번역가들을 인터뷰하면서 사랑과 감탄의 언어를 원없이 들었다. 스스로 '과몰입 성향'이라고 칭할 만큼 아름다운 걸 볼 자세와 감탄하는 능력을 장착한, "자기 힘에서 멀어지지 않은 사람"들이 눈앞에 존재했다. 돈에 삶을 내어주고 미래를 위해 현재를 바치라는 시대의 명령에 휘둘리지 않고, 자기 마음이 이끄는 대로 자기 힘을 동원하여 좋아하는 것을 남들과 나누며 살아가는 번역가들의 꼿꼿한 열정에 매번 감탄했다.

"우리는 순수한 것들을 생각했다"라는 폴 발레리의 시구를 보자마자 "이건 제목이야!"라고 외친 이유다. 순수라는 단어는 '순수문학 대 참여문학'이라는 낡은 이분법과 무관하다. 불순물이 없는 게 순수가 아니라 불순물까지 보는 게 순수다. 유계영 시인은 "시 쓰기는 세상을 사랑스럽게 바라보는 일"이라며 이렇게 쓴다. "내 고통의 주인이 '나'인 것이 좋고, 네 고통의 주인이 너인 것이 좋다. 저마다의 '몸'에서 다른 세계가 동시 상영되고 있다는 것이 경이롭다."[4] 재일동포 시인 김시종도 말한다. "시란 인간의 본질에 뿌리내리고 있는 미美입니다. 그러므로 시를 자각하게 되면 부당한 것을 증오하는 인간이 될 수밖에 없습니다."[5] 시는 하염없는 몰입이라는 점에서 순수고, 순수는 이미 고통에의 참여를 내포한다. 그러므로 시는 무기다.

순수와 노동

"한 편의 시는 '네가 세상에 무엇을 더하였는가?'라는 엄혹한 질문에 버텨낼 수 있어야 한다"[6]고 했다. 나에게 글을 쓰는 일은 저 엄정한 물음에 성실하게 대답을 만들어가는 과정이다. 나의 노동은 세상에 무엇을 더하고 있나. 나는 누구의 이익에 복무하고 있나. 아무도 가지 않은 길인 한국문학 불모지를 개척하는 젊은 번역가들이 사는 법과 직업의 긍지를 조심스레 내놓는다. 문학의 시대는 끝났고 첨단기술이 소설을 쓰고 번역가를 대체하리란 전망이 우세한 시절에 시가, 문학이, 번역이 사람을 살리는 현장 이야기를 얹고 싶었다.

내가 한국 시 번역가들 인터뷰 작업을 한다고 했을 때 어떤 이는 이제 문학으로 영역을 넓히는 거냐고 물었다. 내가 그간 사회적 약자의 목소리를 담는 글을 써왔기 때문에 나온 말 같았다. 나는 이야기했다. 관심의 대상을 확장한다기보다 글쓰기의 근원으로 돌아가는 것에 가깝다고. 나의 첫 단행본은 일상 서사에 좋아하는 한국 시를 더한 산문집이었다. 시는 낮은 곳을 살피는 언어이고, 르포는 가리어진 존재를 드러내고 인간의 고통에 천착한다는 점에서 내겐 뿌리가 같은 일이다.

인터뷰이들이 본문에 언급한 문학작품을 최대한 읽어 보려고 노력했다. 이 책이 독자들에게도 한국문학 읽기의 길잡이로 쓰이고, 특히 시를 잊은 그대들에게 시 읽기에 대한 영감을 불어넣어 준다면 더없겠다.

작년 6월부터 한 달에 한 곳씩 서울 동네책방에서 인터뷰를 진행했다. 책방을 지키는 일은 사람을 기다리는 일이다. 그 애타는 일을 매일 해내는 책방지기들 덕분에 이 책에 향기가 입혀졌다. 편집자 최은지, 김준섭, 이해임과 나는 팀명 '은준해은'이라는 인격으로 한 몸처럼 활동했다. 그간 인터뷰집을 여러 권 냈지만 이번처럼 1년을 꽉 채워 복수의 편집자들과 밀도 있고 긴밀하게 협업한 책은 유일하다. 작업하는 동안, 우리도 순수한 것을 생각했다. 은은한 시적 체험의 기회를 준 동료들에게 고맙다. 이제 속속 시에 도착하는 사람들을 마중 나갈 차례다.

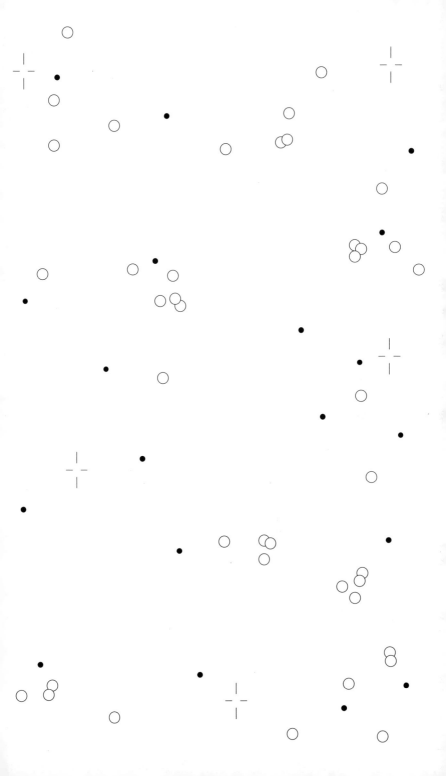

차례

시에 도착하는 사람들

–

은유

호영

— 서점 리스본에서

춤을 추고 있을 때는, 규칙을 깨도 돼.[1]

—메리 올리버

즐거운 오해

유리잔같이 고요한 정적을 깨고 말문을 트기. 첫마디의 주저함은 첫 문장의 두려움 같은 것이다. 잘하고 싶다는 의지를 너무 살려놓아도 아니 되고 아주 죽여놓아도 곤란하고, 이 역설적인 상황을 포용하는 심호흡이 필요하다. 깊게 들이마시고 천천히 내쉬고. 통으로 주어진 시간을 사려 깊은 언어로 채우고 싶어 하는 나와 중구난방으로 떠들고 싶어 하는 나를 함께 데리고 인터뷰는 시작된다.

호영은 한 웹툰 전문 플랫폼의 미주 지부 콘텐츠 부장이다. 낮에는 웹툰 번역을 하지만 밤에는 시 번역을 하는 한국문학 번역가이기도 하다. 직함이 단어마다 탐스럽게 빛난다. 말로만 듣던 글로벌 인재가 아닌가. 출퇴근길 지하철에서 스치는 커리어우먼을 자동으로 연상했는지도 모른다. 약속 장소에 나타난 그는 쇼트커트에 일자 핏 청바지와 새하얀 면 티를 입고 백팩을 둘러멨다. 나는 들킬세라 내 속물적 상상력을 재빨리 철회했고, 도화지 같은 그의 이미지에 매료된 채 그와 마주 앉았다.

　"한영 번역가가 여러 분인데요. 호영 님은 웹툰이랑 시 번역을 같이 하는, 어떻게 보면 가장 상업적인 장르와 또 상업적이기 어려운 시 번역을 병행하는 이야기를 풀어내면 좋을 것 같고요. 그리고 젊은 여성 직업인으로서……."

　"정정하고 싶어요. 여성은 아니에요."

　"아, 죄송합니다."

　"제가 어디 특별히 밝혀놓은 건 아니라서요."

　"맞아요. 죄송합니다. (눈동자를 떨구어 질문지를 훑다가 고개를 든다.) 음, 그래서 직업인으로서의 번역가, 젊은 직업인으로서 번역으로 생계를 이끌어가는 이야기를 나눠보면 좋겠다는 생각을 했습니다. 무슨 이야기부터 할까요. 제가 어제 밤까지 〈야화첩〉을 보다 잠들었거든요."

　"좀 수위가 높은데……."

　"역시 19금이 재밌던데요.(웃음)"

　"그렇죠. 전개도 빠르고요.(웃음)"

웹툰은 동시대 언어

　나는 웹툰 번역가를 인터뷰하기 위한 사전 준비로 '레진코믹스'에 가입해 웹툰 두 편을 잇달아 보았다. 누적 조회

수 1000만 뷰가 괜히 나온 게 아니었다. 다음 화를 결제하게 하는 흥미진진한 스토리에 빠져들다 보니, 중학생 때 방바닥에 엎드려서 보던 순정만화가 생각났다. (그렇습니다. 저는 황미나 세대입니다.) 웹툰은 모바일 시대에 최적화된 콘텐츠로, 우리나라에서 가장 먼저 시작된 산업이다. 그렇다면 다른 나라에는 웹툰이 없는 걸까. 한국 웹툰이 번역되어 영어권 독자에게 읽히는 사정부터 물었다.

"그 나라 언어별로 온라인에서 읽히는 만화들은 당연히 있죠. 온라인에는 영어로 된 인스타그램 만화들이 되게 많거든요. 예전에는 인터넷 덕분에 종이의 한계가 없어지면서 웹툰의 형태가 엄청 다양해지리라 예상했는데 막상 보면 인스타그램 정방형 컷으로 다 통일됐어요. 근데 한국 웹툰은 스크롤로 보는 형식이라 좀 차이가 있어요. 일본은 아직도 대부분 클릭해서 넘기는 전자책 방식이에요."

내용과 형식의 중요성, 아니 상호 보완성을 생각하게 한다. 형식에 따라 내용이 달라진다면 형식까지가 내용인 것이다. 이처럼 독자에게 새로운 읽기 경험을 제공하는 웹툰이다만, 구어체 위주의 대사가 많고 크게 난해하지 않아서 누구나 번역이 가능하다고 생각하기 쉽다. 그런데 세상에 쉬워 보이는 일은 있어도 쉬운 일은 없는 법. 웹툰 번역도 그렇다.

"웹툰 번역의 묘미이자 어려움은 동시대 언어라는 점이죠. 지금 사람들이 쓰고 있는 말이고, 인터넷 유행어들을 바로바로 웹툰에다 쓰는데 한국에서 통하는 밈이 미국에는 없어요. 그게 어려운 것 같거든요."

그는 전날 회사에서 '너무 웃긴 번역'이 있었다며 한 에피소드를 소개했다.

"BL 웹툰 속 어떤 주인공이 상대방에게 '사랑해'라고 말하려다 난감해져서 '사…… 과 같은 내 얼굴' 하면서 노래로 얼버무려요. 그런데 상대방은 주인공의 심란한 마음은 전혀 모르고, 흥겹게 엉덩이를 씰룩거리면서 노래를 이어부르거든요. 이걸 'My face is like an apple'이라고 직역하면 안 되잖아요. 앞 부분이 'I love you'와 비슷한 말을 넣어야 했죠. 영미권에서 일종의 밈처럼 소비되는 노래(Sir Mix-a-lot의 〈Baby Got Back〉)가 있는데, 번역가가 이 노래의 "I like big butts and I cannot lie"라는 가사를 넣은 거예요. 그 가사를 넣었더니 상대방이 신나서 엉덩이춤을 추는 장면과도 자연스럽게 연결됐죠. 너무 재치 있게 잘했다고 생각했어요. 이 세대가 알 만한 유머 코드를 다 습득하고 있어야 이렇게 나올 수가 있어요. 그러니까 프리스타일을 하려면 엄청나게 많은 레퍼런스를 갖고 있어야 되고 양쪽 문화를 다 알아야 하죠. 언어적인 역량만 있어서 되는 게 아니라 문화적으로 능숙해야 하는데, 그 부분을 많은 사람들이 간과하는 것 같아요."

나도 잉여다

호영의 번역 이력은 다채롭다. 돈을 받고 한 최초의 번역은 한국 전통 공예물을 설명하는 짧은 소개 글이었다. 자개, 옻칠 같은 단어가 나오고 '만수무강을 기원합니다' 같은 문구가 들어갔다. 동양권에서 정형화된 표현을 영어로 바꾸려니까 설명이 길어져서 어려웠던 기억이 남아 있다. 그밖에도 경제 보고서, 비즈니스계의 마케팅 카피, 미군용 매뉴얼까지, 프리랜서 시기에는 들어오는 일을 마다하지 않았다. 이런저런 시도와 경험에서 자신과 맞는 일을 찾았다. 넷플릭스에 들어가는 한국 예능이나 드라마의 영상 자막 일을 지원한 것이다. 창의성을 요하는 일이라서 재밌을 것 같았고, 무엇보다 스스로 입말 번역을 잘 할 수 있다고 판단했다. 그가 낸 첫 영한 번역서 《남은 인생은요?》의 옮긴이 소개에도 이렇게 쓰여 있다. "호영. 서울과 미국의 소도시에서 자라고 문화인류학을 공부했다. 입말과 인터넷문화를 주로 번역한다."

"특별히 입말 번역에 끌리는 이유가 있나요?"

"아마 제 또래부터 조기 유학을 많이 나가기 시작한 것 같은데, 앞 세대 번역가들은 학문이나 사업을 위한 영어를 많이 구사한 것 같아요. 제가 처음으로 미국에 갔을 때가 만 아홉 살, 열 살이거든요. 저는 대화하는 것부터 배웠고 특별히 문법을 공부하지는 않았어요. 지금은 한국어랑 영어가 좀 비슷하게 편하거든요. 유머를 번역하는 게 재미있기도 하고요."

　고학년 때 가족과 함께 한국으로 돌아온 호영. 한국소
설도 늘 곁에 두고 봤지만, 미국에서 지낼 때 읽었던 소설들
이 재밌어서 꾸준히 원서를 읽고, 영어 실력을 유지했다. 힘
든 건 중학교 생활이었다. 왜 교복을 입어야 되는지, 머리를
왜 똑같이 잘라야 되는지 이해할 수 없었다. 심지어 교과서
안 가져왔다고 체벌을 받아야 하는 게 너무 납득이 안 됐다.
일반 고등학교에 진학할 자신이 없었다. 선택지는 두 가지였
다. 한국에서 대안학교를 가거나 아니면 미국으로 다시 가거
나. 중학교 3학년 때, 두 번째 미국행 비행기에 올랐다. 이번
에는 혼자서.

　"대학에서 인류학을 전공했는데 졸업 논문을 '잉여'에
대해서 썼어요. 저는 계속 소셜미디어를 사용해 왔고 한국의
제 또래들이 뭘 하고 있는지, 무슨 말을 하는지를 온라인으
로 보며 참여하고 있었죠. 그래서 좀 이상했어요. 잉여는 한
국에서 발 딛고 사는 사람들이 하는 말이고, 나는 미국에서
오래 살고 있는데 '나도 잉여다'라고 하고 있으니까요. 미국
에 있으면서 한국에 대한 글을 쓰는 게 모순이라고 느껴져서
일단 한국에 와서 살자 하고 왔거든요. 한국에서 성인으로
살아본 적이 없으니까, 와보고 싶었어요."

좋아하는 것을 좋아하는 모습은 비슷하다.
머릿속에서 폭죽이 터지는 느낌.
피가 빠르게 도는 느낌. 그건 몸의 명령이다.
'너 이거 해라.' 거역할 수 없다.

문화적 두께

잉여의 본진으로! 그가 왔다. 2014년에 부산으로 입국해 출판사에서 편집자로 일하는 등 여러 경로를 거쳐 5년 후 상경했다. 웹툰 플랫폼 번역 파트에 취직한 것이다. 프리랜서일 때도 직장인일 때도 그는 항상 두 가지 언어를 다루었고, 장르 불문, 한영이든 영한이든 번역을 손에서 놓은 적이 없었다. 왜냐면 재밌으니까, 너무도 좋으니까.

"독자를 상정하고 번역하기 시작한 건, 어떤 에세이나 인터뷰를 읽고서 내 친구들도 이걸 읽었으면 좋겠어, 라는 생각이 들었을 때였어요. 그걸 빨리 번역해서 페이스북에 올렸죠. '잉여'에 대해서 논문을 쓸 때 '이말년 웹툰'을 번역해서 인용한 게 나름 즐거움이었어요. 제가 웹툰 번역을 좋아하는 거 같아요. 출판되지 않는 말들이 있잖아요. 그런 걸 너무 좋아하거든요."

"어떤 점이 좋아요?"

"일단 책으로 나오기까지는 시간이 많이 걸리잖아요. 그런데 인터넷은 훨씬 사이클이 빠르고 또 너무 기발한 사람들이 많으니까요. 한국어 유머일 때 영어하는 내 친구들한테도 보여주고 싶고, 반대로 영어로 된 거는 빨리 한국에 있는 친구들한테 보여주고 싶어요. 읽다가 '너무 표현이 좋다'고 느끼면 '근데 이걸 어떻게 번역할까'를 자동으로 생각해요."

"와…… . 막 저절로 돼요?"

28

"당연히 번역이 바로 안 떠오를 때가 더 많은데, 바로 거기에서 즐거움을 느껴요."

네? 아니, 왜요? 보통은 잘 안 풀리면 짜증스럽고 답답하지 않냐고 묻고 싶었지만 나는 점잖게 말했다.

"천생 번역가시네요. 왜 즐거운지 말해주면 저도 배워서 즐겁고 싶어요."

"그러니까 답이 없는 거잖아요. 바로 안 떠오르는 건 그만큼 쌓여 있는 문화적 두께가 되게 두껍다는 의미니까 제가 고려해야 하는 게 훨씬 많죠. 그래서 이게 어려워서 재밌어요. 해볼 만하게 재밌는 것 같아요. 내가 잘할 수 있다, 없다의 문제가 아니라 뭔가 머릿속에서 폭죽이 터지는 느낌. 번역하고 싶은 글을 만났을 때, 피가 돌고 약간 상기되는 기분, 그런 기분이 생기면 하게 돼요."

"힘들어도 한다가 아니라 힘드니까 해볼 만하다네요."

"책상에 붙어 있어야 되고 시간과 노력을 들이는 가내수공업 같은 이 과정을 견디려면 내게 그만한 즐거움을 주는 거여야 끝까지 하게 되는 것 같아요."

좋아하는 것을 좋아하는 모습은 비슷하다. 호영에게 번역이 나에게는 인터뷰다. 머릿속에서 폭죽이 터지는 느낌. 피가 빠르게 도는 느낌. 나 역시 좋은 말이나 좋은 사람을 접했을 때 그런 증상이 나타난다. 그건 몸의 명령이다. '너 이거 해라.' 거역할 수 없다. 인터뷰를 하려면 그 사람에 대해

미리 조사해야 하고, 직접 만나서는 눈빛을 맞춰가며 심도 깊은 대화를 두세 시간 이상은 나누어야 하고, 나중엔 고양이가 앞발로 차서 바닥에 떨어진 두루마리 휴지 풀리듯 계속 나오는 녹취록을 읽고 또 읽어야 하고, 마침내 읽을 만한 원고로 쓰고 편집해야 하는데, 이 과정이 몹시도 지난하다. 이걸 완수하려면 조급함 한 스푼이 필수다. '어서 빨리' 이 아름답고 은혜로운 인간의 말을 잘 완성해서 친구들에게 막 보여주고 싶고, 다른 사람도 다 알게 해서 세상이 좋아지면 좋겠다는 인류애가 발동되어야 누워 있다가도 몸을 벌떡 일으켜 책상에 앉게 되는 것이다.

황인찬의 떨림

호영과의 인터뷰가 잡혔을 무렵, 진은영의 시집《나는 오래된 거리처럼 너를 사랑하고》가 출간되었다. 나는 얼른 보고 싶었다. 오후 3시 전까지 주문하면 밤 11시에 오는 인터넷서점의 '잠들기 전 배송'으로 받아볼까 하다가 꾹 참은 건 인터뷰하러 경의선 숲길에 있는 책방, 서점 리스본에 갈 일정이 잡혀 있었기 때문이다. 기다림이 곧 시다, 시집을 살 때는 시적인 마음을 갖자, 이런 의미 부여로 시간을 보냈다. 그리고 계획대로 리스본에서 시집을 두 권 사서 호영과 하나씩 나누어 가졌다.

호영은 "(진은영의 첫 시집)《일곱 개의 단어로 된 사전》을 너무 좋아해요"라며 새 시집을 매만졌다. 그의 표정을 보니 다음 시집을 기다리는 시인이 있는 것이야말로 생의 잔잔한 기쁨 같았다.

한국 시 번역가로서 그가 처음 번역한 시집은 황인찬의 《여기까지가 미래입니다》이다. 아시아 출판사에서 번역 의뢰가 왔다. 여러 시인들이 있었는데, 그가 황인찬 시인을 택했다.

"저와 목소리가 잘 맞을 것 같다는 생각이 들었어요. 황인찬 시인의 건조한데 표면 아래에 떨림이 있는 목소리를 좋아하거든요. 그게 재밌다고 생각했고, 저의 평소 목소리나 태도라고 할까? 저는 별로 살갑지 못한 것 같거든요. 제가 아는 저는 너무 감정적이고 불안정하다 보니까 약간 무심한데 뭔가 있는 그런 것들. 또 황인찬 시인이 대화체도 많이 쓰잖아요. 그런 걸 좀 해보고 싶었던 것 같아요."

호영은 덧붙여 말했다. "좋아하는 시인이야 여럿 있지만 내가 해보고 싶다, 또 내가 잘할 수 있겠다, 이런 거는 다른 것 같다"고. 그는 요즘 허연 시인의 《불온한 검은 피》를 번역하고 있고, 김이듬 시인의 〈호명〉이라는 시도 좋아한다. 시 한 편의 번역은 얼마나 걸리고 어떤 과정으로 진행되는지 이야기를 들었다.

"황인찬의 시 〈구관조 씻기기〉 초고는 한 시간 정도 걸

렸던 것 같아요. 근데 여러 번 고치죠. 정말 작업한 시간만 따지자면 한 네 시간 정도 되겠지만, 휴식을 취하는, 묻어두고 잊어버리는 시간도 필요하잖아요. 그래야 예전에 써놨던 언어에서 벗어나 볼 수 있으니까요. 그리고 또 다른 사람들한테 보내고 의견을 받는 시간까지 다 합하면 몇 달이 걸리죠."

그는 산문 번역과 시 번역을 비교해서 설명했다.

"산문은 일단 분량이 상대적으로 길어서, 초고를 쓸 때 훨씬 마구잡이로 하는 편이에요. 예를 들어 최근에 정지돈 작가의 소설 《…스크롤!》 샘플 번역을 했거든요. 정지돈 작가님 글은 너무 재밌었던 게 약간 번역투로 쓰세요. 저는 거의 녹취하는 기분으로 번역을 했어요. 고칠 때도 별로 힘들지 않았죠. 반대로 한정현 작가님 작품을 번역할 때는 좋아해서 그렇기도 하고 또 역사적인 내용들이 많아서 초고 작업이 훨씬 더뎠어요. 산문을 번역할 때는 양이 많으니 빨리 초고를 끝내놓자는 마음으로 하는데, 시는 타이핑이 된 걸 보면 그 단어에서 벗어나기가 힘들어요. 그래서 초고에 더 시간이 걸리고 다른 사람들에게 피드백을 훨씬 많이 받게 돼요."

여기서 다른 사람이란 동료 번역가들을 말한다. 가령, 최재원 시인.

"황인찬 시인의 시 중에 천국에 가는 얘기에 대한 시 〈법 앞에서〉가 있어요. 재원이 피드백을 해주면서 화자가 천국의 문 앞에 있는 건지, 안에 들어간 건지 그림을 그렸더라고요. 저도 제가 이 시를 잘 이해했나 헷갈렸는데, 재원도 그 걸 머릿속에 그려보고 있었던 거죠. 시는 항상 안개에 싸인 느낌으로 읽어서, 다른 사람들이 코멘트해 주는 게 도움이 돼요. 재원은 되게 공감각적으로 시를 읽고, 번역도 그렇게 하거든요. 꼭 손글씨로 피드백을 써줘요. 어떤 코멘트는 여 백이 모자랄 정도로 이어져서 제가 보낸 번역문을 빙 두르는 모양이 되기도 하고요. 너무 정성스럽죠."

그림과 의견과 스캔이라니. 이런 사랑과 정성과 기술의 공감각적인 퇴고 명화라니! 감동이 차올라서 한참을 들여다 보게 되는 이미지다. 빨간 펜으로 회초리 같은 빗금이 그어지

Before the law

I walked a long path to reach heaven and arrived at
its doors guarded by angels holding swords of
flame

The door opened and a child poking its head out
asks
Is Heaven here?

I wait with the guard in front of the door Until
Heaven comes back

천국이 있어요?

I read it
more as
" is there Heaven?"
or "Do you have Heaven"

The child is on the inside,
so it sounds strange that
it should ask " Is Heaven here?"

is the guard
the child or
the angels?

'여기에' 있어야 좋을 듯?

child
옷

door

speaker

최재원 시인이 보낸 피드백

고 ×표가 쳐지는 평가가 개입된 올드한 방식이 아니다. 이것은 낙서 같은 독백이 담긴 쪽지로 마음을 전하는 방식의 조심스러운 말 걸기. 잘하고 있다고 지지해 주고 이렇게 하면 더 잘될 거라는 격려다. 번역은 혼자의 일이라서 외롭고 정답이 없어서 괴로운 것. 나도 글을 쓰다가 헷갈려서 미치겠을 때 친구에게 원고를 보낸다. 글쓰기 수업에서는 내가 학인들의 글에 대해 의견을 전한다. 나에게도 이런 친구가 있었으면, 하고 바라다가 나는 누구에게 이런 친구였나, 하고 돌아본다.

시와 웹툰은 쌍둥이

호영은 올라운더다. 가장 독자가 많은 장르와 최소한의 독자를 가진 장르의 작품을 번역할 수 있는 실력과 감각을 가진 드문 존재다. 웹툰 번역을 하고 시 번역을 하는, 시 번역도 하고 웹툰 번역도 하는, 웹툰 번역을 하고 시 번역도 하는, 시 번역을 하고 웹툰 번역도 하는……. 조사를 어떻게 써야 적절할지 고민이 되었다. 일단 이야기를 들어보면 답이 나오지 않을까. 시와 웹툰 번역의 공통점부터 물었다.

"시는 단어들을 임팩트 있게 써야 하잖아요. 웹툰도 영어로 번역할 때 한국어판에 비해서 말풍선이 너무 늘어나면 안 되니까 압축적으로 번역해요. 또 한국어는 주요한 내용이 뒤에 나오는 경향이 있어서 마지막에 빵 터지는 역할을 유지하려면 영어의 문장구조를 좀 다르게 배열하거나 또는 문장을 두 개로 나누는 전략을 쓰죠. 시 번역도 비슷한 것 같아요. 산문은 분량이나 구조에 대한 제약이 조금 덜한데, 시는 왜 이렇게 배치했을까 생각하게 돼요."

번역하는 동안 '단어' 하나하나를 그냥 지나치지 못한다는 점도 비슷하다.

"웹툰과 시 모두 의성어나 의태어가 많이 나오죠. '우물쭈물' 같은 부사가 한국말에는 진짜 많잖아요. 웹툰에서는 작가님들이 의성어를 창조하기도 하거든요. 한번은 얼굴 옆에 '찌풀'이라고 써 있는 거예요. 이게 뭐지? 아무리 생각해도 '찌푸리다'인 거예요. 그런데 '찌풀'은 소리에서 오는 느낌도 있어서, 한참 생각해 봤던 것 같아요.

관용구도요. 최근에 읽은 정지돈 작가님 소설에서 '펄쩍 뛰며 반대했다'라는 표현이 나왔어요. 한국말로는 너무 쉬운 표현이잖아요? 한국 사람들은 '극대노했다' 정도의 맥락으로 이해하니까요. 그런데 영어로는 'He leapt up in anger' 이렇게 감정을 밝혀야 되는 거예요. 그렇게 하고 싶지 않은데 그럼 뭐라고 하지? 그런 거는 유의어 사전에도 안 나와요. 그러면 영어 원서를 막 읽어야 해요. 뭔가 생각이 안 날 때는 일단 타깃 언어의 책을 읽어요. 대상 언어로 쓰인 책을 읽으면 그 문화권에서만 쓰는 표현들이 나오니까요."

"시나 웹툰이 글자 수가 많지 않아서 단어 선택에 더 신중할 것 같아요. 소심해질 때 어떻게 하세요?"

"제가 웹진 《초과》에 참여한 거랑 웹툰 일을 시작한 게 비슷한 시기예요. 진은영의 〈달팽이〉라는 시를 여러 명이 번역했는데, 다른 번역가들의 번역을 보면서 엄청 충격받았어요. 저는 원문을 따라야 된다고만 생각했는데 이런 다양한 방식들이 있고, 유연해질 수 있다는 걸 알게 됐어요. 시 한 편에 하나의 번역만 있는 게 아니라서, 나는 이런 선택을 하지만 다른 사람들은 나름의 또 자신만의 선택을 하겠지, 라고 서로 믿고 있으니까, 하고 싶은 걸 하면 되는 것 같아요."

"내가 하고 싶은 걸 하면 된다?"

"네, 나에게 중요한 건 이거다!"

"완벽하게, 하나도 놓치지 말고. 이런 게 아니라 내 감정과 감각으로 밀고 나가면 된다는 거네요."

"나의 해석은 이거니까."

"글쓰기는 정말 자기를 믿는 일 같아요. 근데 시가 단번에 확 와닿기는 어렵잖아요, 활자는 읽을 수 있지만요. 어떻게 시를 내 것으로 만들어요?"

"시는 이해에서 자유로워서 좋은 장르 같아요. 다 이해 못 해도 나중에 또 와서 읽으면 뭐가 보이겠지, 약간 이런 식으로 넘어가는 편이에요. 그냥 어떤 느낌을 가져가면 되는 것 같아요."

"근데 우리가 웹툰처럼 '가독성' 위주의 독법에 익숙해져 있어서 이해가 안 되는 걸 못 견디잖아요. 시를 읽어도 성취감이 없으니까 부담을 느끼고요. 시가 주는 '안 읽히는 아름다움'이 있는데도요."

"제가 그래서 이 두 가지 일을 계속 병행하는 것 같아요. 하나는 너무나 이해가 잘되도록 하고 싶은 일이고, 하나는 이해에 대한 책임에서 어느 정도 벗어나 있어서요. 저에게도 자양분이 돼요. 한쪽에만 갇히지 않고 겹눈의 시야를 갖게 해주죠. 그래서 회사 일이랑 같이 하는 게 시간적으로 너무 힘들지만 여기서도 계속 얻는 게 있으니까 계속 하게 돼요. 정말 웹툰 번역이랑 시 번역이랑 비슷한 게 많아서 잘 맞는 것 같아요."

웹툰과 시는 출판이나 미디어 시장에서 거래되는 판돈의 규모 측면에서는 양극단에 위치한 장르지만, 입말과 글말의 언어유희를 탐닉하는 호영에게는 "언어의 깊은 곳으로 나아간다"는 점에서 쌍둥이 장르다. 무게중심도 어느 한쪽으로 기울지 않는다. 그의 삶에서 시와 웹툰은 하나가 없으면 나머지도 없다는 점에서 공속적인 관계 같았다. 밤과 낮처럼, 순간과 영원처럼, 나와 너처럼.

젠더퀴어의 말들

호영은 친구들과 함께 '촉'이라는 프로젝트를 2020년도에 시작했다. 촉의 인스타그램 계정 소개에 따르면 '문화, 정치, 경제, 역사, 지리적 관점을 바탕으로 페미니즘 읽기를 시도하며, 주변화된 다양한 관점을 지닌 저자들의 글을 번역하고 공부하는 모임'이다. 유색인종이거나 트랜스젠더거나 장애가 있거나 등등 여러 정체성의 이유로 한국 출판계에 아직 나오지 않은 동시대 작가들의 말을 소개한다.

"촉에서 트랜스젠더에 관련된 여러 글들을 시리즈처럼 모아서 소개했어요. 저작권 문제 때문에 글 전체를 번역하지는 못하지만, 이런 말을 하는 사람들이 있다는 걸 발제하는 식이죠. 캐머런 아쿼드리치Cameron Awkward-Rich라는 트랜스남성 시인이자 연구자가 있어요. 그가 쓴 〈트랜스, 페미니즘: 또는, 우울한 트랜스섹슈얼처럼 읽기Trans, Feminism: Or, Reading like a Depressed Transsexual〉라는 글을 소개했어요. 트랜스젠더 당사자나 지지자들은 '트랜스젠더가 미친 사람이 아니다'라는 걸 증명하기 위해서 많은 시간을 쓰잖아요. 그런데 '미친 사람이면 안 되나' 하고 말하는 글이에요. 자긍심을 통해 소수자성을 긍정하는 방법만이 아니라 당연히 고통스러운데 그런 부정적인 감정을 저버리지 않고 말하는 방법이 뭘까에 대해 말해요."

앞서 말한 그의 첫 번역서 《남은 인생은요?》도 결을 같이하는 책이다. 그가 원서를 읽었을 때 '번역하고 싶다!'는 생각에 사로잡히게 된 것도 아직 한국 출판계에서 들어보지 못한 다른 목소리라서다.

"저자분이 한국계 이민자로서 미국에서 사는 이야기를 해요. 앞서 출판된 교포 이야기들은 성공 서사라든가 고난 극복 이야기잖아요. 그런데 이 책은 되게 현재진행형이거든요. 가족에 대한 트라우마, 연인과의 트라우마, 중독같이 보통 우리가 교포 이야기를 할 때 별로 안 하고 싶어 하는 어두운 면들을 솔직하게 말하고 있어요. 이 저자도 회복에 대해서 되게 의구심이 많은 분이거든요. 본문에 보면 출판사에 보내는 편지가 있는데 거기에 복잡한 심정을 드러내요. 이 책이 다른 사람들에게 어떤 도움이 되는지 모르겠다. 난 아직도 엉망진창인 사람인데, 라고 말하죠. 그래서 더 저를 사로잡았던 것 같아요.

제가 이 책을 집어 든 이유가 있어요. 저자 사진을 봤을 때 반삭발을 하고 있고, 사진으로는 성별을 모르겠는 거예요. 그리고 작가 소개에 He나 She가 아니라 They라고 적혀 있었어요. 혹시 한국 사람인데 논바이너리일까? 2017년쯤인데 그런 저자를 처음 본 거죠. 영어권에서는 2010년대 초반부터 계속 논바이너리나 젠더퀴어 얘기를 하고 있었지만 그 얘기를 하는 한국 사람은 못 봤거든요. 너무 끌렸어요."

트랜스인일 가능성

나는 2022년 초에 나온 《트랜스젠더 이슈》라는 책을 읽었다. 변희수 하사가 세상을 떠나고 트랜스여성이 숙명여자대학교 입학을 거부당하는 일이 벌어지는 게 애통하고 화가 나서, 영국의 활동가가 '트랜스 해방'을 말하는 이 책에 손이 갔다. "트랜스인의 존재는 모든 사람에게 그간 애지중지해 온 젠더에 관한 관념을 면밀히 검토해 보고, 이런 관념이 한때 생각했던 것만큼 안정적이고 확실한 것인지 고민해 보도록 한다. 이런 현상은 건강한 것이다"[2] 같은 영감을 주는 문장에 밑줄을 긋고 별표를 잔뜩 치기도 했다.

그러나 삶은 앎의 판별사다. 책 한 권으로 얄팍한 지식은 습득했지만 내가 만나는 사람이 '트랜스인'일 가능성을 아예 고려하지 않고 있었다는 사실이 이번에 여실히 드러났다. 나는 인터뷰이를 보자마자 '여성'이라고 단정한 것이 죄송스럽고 창피했지만, 그가 바로 정정해 주어 천만다행이었다. 현장에서 넘어지고 깨지면서 배울 수 있어서 나에게 인터뷰는 인생 수업이다.

호영은 요즘 계속 몸에 대한 글을 쓰게 된다고 말했다.

"좀 묵혀야 되겠지만 요즘에 쓰고 싶은 글은…… 제가 호르몬 치료를 받고 있어요. 이 트랜지션이라는 게 당연히 의료적인 조치 외에도 여러 가지가 있어서 이제야 이런 단계를 밟고 있는데요. 그래서 몸이 조금씩 변화하고 있기는 하고……. 근데 또 사실 트랜지션에 대한 기록들은 되게 많이 있잖아요. 매일매일 목소리를 녹음하거나 동영상을 찍는 분

들도 있으니까요. 근데 어쨌든 트랜스젠더라는 것이 있고 그게 나일 수도 있다는 걸 스스로 인정하면서 이 과정에 대해서 하고 싶은 말들이 쌓이고 있어요. 그리고 생각이 정말 계속해서 변화하고……."

2019년 서울국제여성영화제에서 〈하늘과 나무 열매〉라는 일본 다큐멘터리 영화를 상영했다. 주인공 고바야시 스키는 여자로 태어났지만 어릴 적부터 자신의 성별을 받아들이지 못했다. 일본에서 처음으로 여자가 남자로서 중학교에 들어갈 수 있도록 청원한 학생으로 세상에 알려졌다. 드디어 스무 살에 수술을 받아 법적으로 남자가 되면서 일본 사상 최연소 성별정정 기록을 세운다. 그런데 영화는 여기서 끝나지 않는다. 스키는 자신을 남자로 규정하지 않고 이분법적인 성별을 넘어서 존재 탐구의 여정에 오른다.

토코이 미유키 감독은 스키가 중학생일 때 출연한 TV 프로그램의 프로듀서로 인연을 맺어 스무 살 이후까지 수년간 동행하며 스키를 카메라에 담아낸다. 그가 서울국제여성영화제에 참여해 감독 GV를 했을 때 나는 객석에 있었다. 그에게 기록하는 사람의 자세를 배웠고, 영화 주인공 스키도 너무 강렬한 기억으로 남아 있다. 나는 호영에게 영화에 대한 소감을 터놓았다.

"인상적이었던 부분이 한번 전환하면 이제 성별 정체성을 찾은 거라고 생각했어요. 그런데 아닐 수도 있구나, 열심히 아르바이트로 큰돈을 모아서 그토록 힘든 대수술을 해도, 나는 남성이 아니라는 느낌이 들 수가 있구나. 그런 자신을 인정하고 말하는 용기가 대단하게 다가왔어요. 그리고 당사자든 감독이든 기록하는 사람이 중요한 게 저 같은 사람까지 관객이자 독자로서 타인의 삶을 접할 수 있잖아요."

"저도 그 얘기를 들으니까 생각나는 게 〈젠더 리빌Gender Reveal〉, 번역하자면 '젠더 개봉박두' 비슷한 뜻의 영어 팟캐스트에 나온 역사학자 줄스 길피터슨Jules Gill-Peterson은 '젠더에 관해 당신이 꿈꾸는 미래는 뭔가요?'라는 질문을 받고서는 'Everything for everyone' 그러니까 누구나 성전환에 필요한 의료적 조치를 자유롭게 받을 수 있으면 좋겠다, 라고 얘기했어요. 내가 만약에 테스토스테론을 갖고 싶으면 온갖 검사를 하고 의사의 진단을 받는 등등의 수많은 관문 없이, 나를 증명할 필요 없이 처방받을 수 있고, 수술받고 싶으면 수술받을 수 있는 사회면 좋겠다. 그래야 내가 원하던 거를 가졌을 때의 허망함을 경험할 수 있게 된다. 그게 얼마나 부질없는지를 경험할 수 있다. 그 얘기를 들으니까 너무 좋은 거예요."

"맞아요. 해봐야 돼."

"너무 갈망하는 건데 실제로 해봤더니 아니네 그러면 또 다른 것도 해보면 되고. 그런데 그게 되게 별일이 되니까, 트랜스젠더인 사람들에게는 그 정체성밖에 없는 것처럼 되는 거예요. 저도 제가 호르몬 치료를 하면 생각도 엄청 바뀌고 몸도 많이 바뀔 거라고 생각했는데요. 지금 세 달이 되어가는데 외모적으로 큰 변화가 없어요. 그것도 생각보다 나쁘지 않은 거예요. 나는 완전 다른 사람이 되고 싶었던 건 아닌가 보다, 그런 깨달음도 있고. 또 제가 좋아하는, 트랜스/젠더/퀴어 연구소를 운영하시는 루인 선생님이 한 강연에서 '어떤 사람이 태어나서 여성으로 성별이 지정되어서 소녀가 되고 젊은 여자가 되고 아줌마가 되고 할머니가 되고 이런 서사가 너무 이상하다'라고 했어요. 단계별로 다 다를 수 있는데 이 서사만 있는 게 이상하다."

　꼭 이래야만 하는 삶이란 게 얼마나 부자연스러운 것인지, 기존의 규범과 틀에 존재를 가두어놓는 게 얼마나 폭력적인지 생각해 보게 하는 말이다. 내가 좋아하는 작가 리베카 솔닛은 자신의 책들에서 게이 친구들과 친교를 나누는 에피소드를 종종 들려주곤 하는데, 이런 글을 쓴 적이 있다. "내게 게이들은 세상이 자신에게 지정해 준 것을 거부하는 일의 급진적 아름다움을 보여주는 본보기였다. 그들이 세상의 기대에 부응할 필요가 없다면, 나도 그럴 필요가 없었다."[3]
　퀴어를 다룬 영화와 책, 그리고 직접 듣는 생생한 이야기에서 내가 숨통이 트이는 느낌이 드는 까닭을 잘 설명한 문장이라고 생각했다. 자아 찾기 서사는 늘 나를 빠져들게 하고 나를 자유롭게 한다. 흔히 '진정한 나 자신을 찾는다'라고 말할 때 정신이나 직업 같은 것을 상상하는데 어떤 사람에겐 그게 몸일 수도 있는 것이다.

애정 보내기

　원래 호영은 미국으로 돌아가서 대학원을 다닐 계획을 세웠다. 작년까지도 그러려고 했는데 올해는 한국에 좀 정착했다는 느낌이 들었다고 했다. 왜 그런지 묻자, "사람들인 것 같아요. 제가 대화하고 싶은 사람들이 여기에 더 많이 있어요"라고 말했다. 그 말뜻에 공감이 갔다. 좋은 대화는 그 자체로 떠남의 만족을 제공한다. 인터뷰가 여행이라면, 우리는 어느덧 하룻밤을 남겨둔 여행자의 시간에 도달했다. 좋은 번역에 대한 그의 생각을 듣지 않을 수 없었다.

　"저는 원작자의 목소리에 최대한 맞추려고 해요.《초과》덕분에 좀 자유로워지긴 했지만 그럼에도 좀 많이 붙어 있으려고 노력하는 편이고요. 제가 마음을 다하는 방식은 특히 문학 번역에 있어서는, 타깃 독자한테 이질적인 번역이어도 괜찮다 정도예요. 그러니까 한국어 원문에 맞춰서 영문 구조를 매끈하게 만드는 방법도 있는데, 저는 요철이 남는 방법을 택해요. 그게 작가의 목소리에 더 가깝게 간다고 생각해요. 이건 항상 논란의 주제여서 말하는 게 조심스럽긴 하네요.

　또 제가 그 글을 번역하기로 한 이상, 그 글이 저한테 너무 의미 있고 재밌어서 하는 거니까 제가 느낀 감정을 독자도 고스란히 받았으면 해요. 초반에는 계속 한국어랑 영어랑 대조해 가면서 확인하는데, 후반 작업에서는 영어만 두고 읽거든요. 그러면서 내가 한국어를 읽었을 때 들었던 그 감정이 영어에서도 전해지는지 맞춰가요.

번역에 관한 여러 철학들 중에서 제러미 티앙Jeremy Tiang이라는 중국어-영어 번역가의 말을 좋아해요. 클래식 음악은 몇백 년이 지난 지금도 연주자가 바뀌면서 계속 새로운 앨범이 나오잖아요. 그런 것처럼 '번역도 번역가만의 목소리가 있어서 같은 작품이라도 번역가를 통해서 나오는 결과물이 다르다'고 했어요. 어차피 제가 아무리 원작자의 목소리를 가져본다고 해도 결국에는 제 목소리가 나온다는 걸 알아요. 그렇지만 어쨌든 다른 사람이 되어보고 싶은 마음이 있으니까요."

다른 사람이 되어보고 싶은 마음. 그것이 그를 번역하게 한다. 그렇다면 한국 시를 번역하는 마음은 무엇일까.

"'왜 이거를 영어로 번역해야 돼?' '한국 시를 왜 영어로 번역해야 해?' 시 번역이 불가능하다고 생각하는 사람들이 굉장히 많잖아요. 시를 영어로 번역했을 때 한국어의 말맛이 다 사라지는데 그걸 어떻게 번역하냐고요. 그런 걸 보면 한국어 페티시가 심한 것 같아요. 왜냐하면 모든 언어에는 다 고유의 표현이 있고 고유의 말맛이 있거든요. 영어 하는 사람들은 한국어는 모음 하나만 바꾸면 단어의 뜻이 바뀐다더라 이러면서 너무 신기해해요. 그것도 뭔가를 이국적으로 바라보는 시선이죠. 모든 언어는 다 특별한데요.

　당연히 시는 번역하기 어렵죠. 시는 어쨌든 언어를 극한으로 밀어붙이고, 특별히 이해받고 싶어 하지 않는 경험을 만드는 장르니까 더 어렵죠. 근데 우리가 소통을 할 때 오해를 감수하고 말하는 것처럼 시 번역도 그냥 사람이 할 수 있는 아름다운 일 중에 하나 아닌가 싶어요. 그걸로 누군가와 이어질 수 있다면, 그걸 통해서 더 많은 사람들과 만날 수 있다면……. 저는 번역을 할 때 그 독자들한테 애정을 보내는 느낌이에요."

　"명언이 나왔네요. 시 번역은 사람이 할 수 있는 아름다운 일이다. 번역은 애정을 보내는 일이다."

　(머릿속에서 폭죽이 터지고, 피가 빠르게 돈다.)

　"제가 이걸 이만큼이나 좋아하는데 그걸 나누고 싶은 거니까."

　호영은 퀴어나 인종, 페미니스트 정치에 대해 논의하고 싶어서 번역을 한다. 내 생각에 그것은 젠더에 관한 이야기이면서 동시에 자기 자신을 받아들이는 이야기, 그래서 문학이 되고야 마는 이야기다. 인간의 이야기이기에 우리의 이야기가 된다. 지금 그가 '나누고 싶은' 한국문학은 《소녀 연예인 이보나》, 《나를 마릴린 먼로라고 하자》를 쓴 한정현 소설가의 작품들이다. 그리고 한국의 인터넷문화나 이반지하 작가가 쓰는 글처럼 너무 웃기고 재밌는 에세이도 더 많이 소개하고 싶다.

"이걸 영어로 번역한다는 게, 미국, 영국, 캐나다 사람들 읽으라는 것보다 영어가 부득이하게 공용어가 됐으니까 아시아, 중동, 아니면 여러 언어권에 있는 사람들이 접하면 좋겠다는 마음으로 하는 것 같아요. 웹툰도 영어로 번역해 놓으면 전 세계에서 와서 보거든요."

애초에 친구에게 알려주고 싶어서 시작한 호영의 번역하는 마음은 점차 인류의 벗에게로 뻗어나가고 있다. 이렇게 캠페인 같은 마무리를 하면 그는 아마 질색할 것이다. 왜냐면 그가 막판에 남긴 어록, '번역은 애정을 보내는 일'이라는 말에 내가 크게 감동한 나머지 오늘은 이걸로 인터뷰를 마무리하자며 주섬주섬 질문지를 챙기고 일어서자, 그가 혼잣말처럼 "마지막이 너무 애정으로 가지 않았나 싶은데······."라며 당황하는 기색을 보였기 때문이다. 나는 그를 안심시키기위해 말했다. "애정으로 끝나는 거 너무 좋잖아요. 호영 님이 애정을 보내는 마음으로 번역한 글이 지구촌 어딘가에 닿아서 누군가를 살게 할 수도 있는걸요."

"마지막이 너무 애정으로
가지 않았나 싶은데……"

"너무 좋잖아요."

"……(ㅋㅋ)."

안톤 허

—위트 앤 시니컬에서

느낌은 어떻게 오는가[1]

—이성복

하지만 저는 해요

　코로나 이전까지 매년 10월이면 서울 홍대 거리에서 책 축제가 열렸다. 평소 술집과 옷집으로 빼곡하고 청춘들이 넘실대던 동네에 하얀 몽골 텐트가 들어서고 책들이 놓이면 도시의 속도가 느려졌다. 아이들이 어른 손을 잡고 와도 좋을 만한 곳으로, 책에 관심 없는 사람도 잠시 가던 길을 멈추고 기웃거려 보는 곳으로. 책을 좋아하는 사람에겐 가을 명절이다. 햇살 사이로 출판사별 부스를 오가며 부담 없이 이책 저책 어루만져 볼 수 있는 기회인 것이다.

　이래저래 도시의 산보객을 불러 모으는 자리에 그도 해마다 풍경의 일부를 이루었다. 가던 곳을 계속 가는 착실한 걸음은 마침내 '사건'을 낳았으니 2018년도에 《저주토끼》와 마주치게 된다. 한강 서북쪽에서 만난 귀인 같은 책, 《저주토끼》의 번역자로서 안톤 허는 4년 후 세계 3대 문학상으로 꼽히는 영국 부커상 후보에 정보라 작가와 함께 올랐고, 그해 가을 다시 책 축제에 참여했다. 제18회를 맞은 2022년 서울

와우북페스티벌에 이를테면 '금의환향'을 한 것이다.

"와우북페스티벌에서 북토크 제안을 받자마자 정보라 작가님이랑 저는 바로 승낙했어요. 왜냐면 그 전날에 작가님이 저한테 카톡을 보냈어요. 페이스북의 '4년 전 오늘'이라고 뜬 게시물이었는데요. 와우북페스티벌 아작 출판사 부스에서 일을 하고 있는데 어떤 번역가가 나타나서 내 소설을 번역하겠다고 한다, 이런 글을 작가님이 올렸던 거예요. 그 스크린숏을 저에게 보내셨죠. 그게 4년밖에 안 됐다는 게 놀라웠어요."

느낌과 무의식

안톤은 유명한 한영 번역가이기 전에 훌륭한 발굴독서가였다. 인기 작가, 저명한 출판사, 대세 장르의 책이 아니라 이미 거기 있지만 아무도 보지 못한 보석 같은 책을 캐내는 황금 손을 가진 사람, 그런 의미에서 발굴독서가다. 아마도 그가 소개하지 않았으면 몰랐을 《저주토끼》는 내 독서 인생의 첫 장르소설이다. 어른을 위한 동화 같은 소설은 몰입의 기쁨을 선사했고, 오싹한 공포와 고소한 기분을 느끼며 책장을 넘기다 보면 자본주의와 가부장제에서 살아가는 인간의 일을 돌아보게 했다. 세상에는 이렇게 묻혀 있는 좋은 책이 얼마나 많을까. 나는 그의 '4년 전 오늘' 생각이 궁금했다. 비

주류 장르에 작가도 출판사도 그리 알려지지 않은 무명의 작품을 어떻게 소신 있게 택할 수 있었는지.

"《저주토끼》를 서서 잠깐 읽었는데도 '이건 너무 좋은 책이다'라는 게 순간 와닿았어요. 어떤 책들은 막 생각을 해봐야 아는데, 이건 바로 느낌이 왔어요."

비결은 안톤의 선구안(batting eye)이다. 야구에서 타자가 몸에 새겨진 감각으로 공을 고르는 것처럼 그도 육감을 동원해 책을 고른다. 느낌이 와서 친 것이다. 당시 그럴 만한 약간의 배경은 있다. 직전에 신경숙《리진》과 같은 무겁고 길고 어려운 역사소설을 잇달아 번역했다. 다음 번역서로는 좀 가볍고 현대적인 책을 찾고 있었다. 연애가 타이밍이듯 번역도 만남인지라 타이밍이 절묘했던 것.

하지만 막상 번역이 쉽진 않았다. 《저주토끼》는 유머러스한데 그 안에 공포가 숨어 있거나 공포스러운데 유머가 숨어 있었다. 유머와 공포, 그 두 뉘앙스를 모두 잡아내는 번역을 하고 싶었다.

"정보라 작가님은 등단 작가가 아니에요. 메인스트림과 거리가 먼 문체를 가진 소설가고, 학술 활동을 하는 학자이기도 하고요. 그래서 작가님은 폴란드어나 러시아어로 읽었던 스타일을 살리기 위해서 한국어 문체를 뒤트는 게 있거든요. 저는 그런 뒤틀림을 되게 좋아해요. 문장이 너무 아름다우면 머릿속에 안 들어가요. 모든 게 매끄러우면 다 읽고 하나도 생각이 안 나요. 그런데 정보라 작가님 글은 읽다가 '이

거 뭐지' 하고 다시 돌아가서 읽게 하는 약간의 저항이 있어
요. 비단보다는 울 같은? 그런 저항이 있어서 '여기 뭔가 있
구나'라는 느낌이 드는 것 같아요. 정보라 작가님의 그게 참
마음에 들어요."

사물에 대해 고정관념이 없는 아이처럼 책이라면 두루
두루 살펴보는 사람. 그는 새로 나온 책은 일단 다 읽으려고
노력한다. 수시로 큐레이션이 잘된 동네책방이나 대형 서점
에 들르고, 북 페어에 가거나 친구들의 추천도 받는다. 그리
고, 문예지.

"문예지가 되게 중요해요. 문예지에는 갓 등단한 작가
도 있고, 중견작가의 연재 작품도 있잖아요. 연재되는 소설
을 보면 번역의 미래가 보여요. 신경숙의 《엄마를 부탁해》도
문예지에 연재했죠. 박상영 작가님도 문예지에 나온 첫 단편
부터 지켜봤던 분이에요. 이건 나만 읽기 너무 아깝다는 생
각이 들어서 《대도시의 사랑법》이 한국에서 출간되기도 전
에 제가 영미권에 팔았어요. 보통은 번역가나 에이전트가 팔
지요. 그리고 또 빨리 번역해야지, 안 그러면 다른 번역가가
채 가기 때문에 경쟁도 좀 있어요. 그래서 많이 넓게 보려고
해요."

그가 말하는 '느낌'의 실체는 이렇듯 방대한 독서와 공
유의 열망으로 다져진 통합적 직관의 발현이다. 원래 이성은
억제하고 감성은 분출한다. 무엇을 만들어내는 창조적 힘은

느낌에 사로잡혔을 때 동력을 얻는다. 그렇다면 그 많은 책들 중 번역하고 싶은 책을 고르는 기준은 무엇일까.

"읽으면 영어로 들리는 작품들이 있는데, 그럼 번역해야 돼요."

"네? 읽으면 들려요?"

"저는 번역을 무의식으로 하기 때문에 그냥 무의식에서 영어가 나와요. 그래서 피곤할 때는 안 나오고요.(웃음) 번역에 대해서 강의를 해달라고 할 때 되게 난감해요. '한국어로 이렇게 되어 있는 걸 어떻게 그렇게 했어요?'라고 물어보면 '그냥······(무의식)'이라고 대답해요. 그런데, 책을 읽고 영어가 바로 들리는 글이 꼭 좋은 글이라는 건 아니에요. 윤대녕 작가님의 문체는 아름답지만 저보고 번역하라고 하면 난감하죠.(웃음) 너무 어려워요. 영어가 안 들려요. 언젠가 저보다 더 훌륭한 번역가가 나타나서 번역이 되기를 바라지만, 저는 못할 것 같아요."

문학 소년, 문학 노인, 문학인

본명은 허정범. 1981년에 스웨덴 스톡홀름에서 태어났다. 코트라 해외 주재원이었던 아버지를 따라 홍콩, 에티오피아, 태국과 한국을 오가며 살았다. 유치원부터 초중고 과정을 외국에서 반 한국에서 반씩 다녔다. 외국 생활을 할 때 영어가 능통하지 않은 어머니를 대신해 통역과 번역을 하는 습관이 들었다. 대학교, 대학원, 군대는 한국에서 나왔다. 고려대 법학, 고려대 심리학, 방송통신대 불문학, 서울대 대학원 영문학. 총 네 개의 학위를 땄다. 안톤은 말한다.

"사람들이 '너는 왜 이렇게 공부를 좋아하니?'라고 말해요. 저는 공부를 좋아하지도 않고 많이 하는 것 같지도 않은데, 내가 쓸데없이 수업을 많이 들었구나, 라는 생각을 했죠."

안톤은 《소유》라는 소설을 쓴 앤토니아 수전 바이엇An-tonia Susan Byatt의 이름에서 따온 필명이다. 어릴 때부터 책벌레였냐는 물음에는 "여느 문학청년과 비슷한 좀 진부하고 빤한" 성장기라고 했다. "동시와 동요를 좋아하다가 좀 더 어른스러운 거 좋아하기 시작한 건 고등학교 때 저항시인들, 특히 이육사를 되게 좋아했어요. 대학 가서 시 열심히 읽어야지, 소설 열심히 읽어야지 그랬던 것 같아요."

일찍이 영문학도를 꿈꿨으나 부모님이 법대나 의대를 원했다. 아무래도 IMF 영향이 컸다. 전공을 바꾸면 호적에서 판다고 할 정도였으니까. 그는 어쩔 수 없이 법대를 들어갔지만 그렇다고 문학의 꿈이 접힌 것도 작아진 것도 아니었다. 대학을 졸업하면서 본격적으로 문학 번역에 매력을 느끼기 시작했다. 서른 즈음이 되자 부모님도 포기했다. '아들은 고시를 볼 마음이 없구나.'

마침내 영문학도의 꿈을 이뤘다. 대학원에서 그는 빅토

리아시대, 19세기 영국 시를 공부했다. 시 전공자이지만 '한국문학 번역가' 타이틀로 낸 첫 작품은 소설이다. 신경숙의 《리진》을 시작으로 그때부터 "어려운 소설을 잘한다"는 평판이 생기는 바람에 강경애의 《지하촌》, 황석영의 《수인》 등 산문 위주로 번역 의뢰가 들어왔다.

"시를 읽을 줄 아는 사람이라면 당연히 소설 번역을 할 수 있다고 생각해요. 그 반대는 성립하기 어려운데……. 시가 저를 훈련시켰어요. 데뷔 전에 한국문학번역원에서 번역 워크숍을 받았을 때도 시 번역만 했어요. 김언 시인 작품이요. 단지 책이 안 나왔을 뿐이지."

안톤은 한국문학번역원을 2009년 가을에 입학해 2010년 여름에 졸업했다. 2018년 데뷔작 《리진》을 내기까지 무려 9년이 걸린 셈이다. 그 공백의 시기를 그는 '죽음의 계곡'이라고 이름 붙였다. 죽음의 계곡은 문학 번역가로서 처한 암담하고 위태로운 상황을 뜻하는 은유적 표현으로, 이러한 악조건 속에서도 '이것이 네가 진실로 하고 싶은 것이냐고 계속 자문하는 시기'를 말한다.

그러고 보니 내 인생 곡선에도 '죽음의 계곡' 비슷한 구간이 있었다. '글을 써서 먹고살고 싶다'라고 결심한 때로부터 내 이름으로 된 첫 책이 나오기까지 7년이 걸렸다. 인세는 미미했고 무명작가의 책은 팔리지 않았으니, 심지어 출판사에서는 판매 저조를 이유로 3년 만에 책을 절판시켰다. 이후에도 단독 저서가 네 권이 될 때까지 나는 짬짬이 집필 아르바이트를 해가며 생활비를 벌었다. 쓰고 싶은 글을 쓰기 위해서 쓰고 싶지 않은 글을 써야만 했던 시기. 아마 작가들에게는 각자의 '죽음의 계곡' 서사가 있지 않을까 싶다. 안톤에게 9년을 어떻게 견뎠는지 물었다.

"견디지 않았어요. 저는 번역을 그만뒀다고 생각했어요. 왜냐하면 당시 에이전시에서 제가 번역한 김연수 작가님의 원고를 가지고 아무것도 안 하겠다고 했고, 여러 안 좋은 일들이 있었죠. 더러운 일들이 많았어요. 왜 내가 이거를 해야 하지? 왜 이 사람이 나한테 이런 말을 하지? 왜 내 실력을 끊임없이 증명해야 하지? 너무 말이 안 돼서 매일 그만둘 생각을 했어요.

저는 프리랜서 번역가로 돌아가서 돈을 많이 벌었어요. 별의별 클라이언트를 다 만나봤고 즐거운 모험을 했어요. 문학 번역을 그만뒀지 번역을 그만둔 건 아니었죠. '나는 너희가 필요 없어'를 너무나도 완벽하게 증명했어요. 그때 쌓은 자본과 그 경험이 있기 때문에 저는 지금도 매일마다 문학 번역을 그만둘 준비가 돼 있어요."

그는 고난의 시절을 1분 요약처럼 빠르게 정리하고 넘어갔지만, '죽음의 계곡' 이야기는 생의 아이러니를 품고 있다. 문학 번역가가 되기 위해 문학 번역을 잠시 떠나 있었고 문학을 전공하면 호적에서 판다고 했다.
어쩔 수 없이 법대를 들어갔지만······ 문학 번역에 매력을 느꼈다.
부모님도 포기했다. '······고시를 볼 마음이 없구나.'

그래서 문학 번역가로 살 수 있게 됐다니. 그건 살고자 하는 자는 죽을 것이요, 죽고자 하는 자는 살 것이라는 장수의 말과 흡사하지 않은가. 물론, 비장함은 안톤 스타일이 아니다. 매일 문학 번역을 그만두면서 날마다 문학 번역가로 태어나는 그의 생명력은 명랑성에서 나온다.

"문학 번역을 그만두었을 때, 번역만 안 했지 책은 계속 봤죠. 그럼요, 죽을 때까지 저는 문학 소년은 아니고 문학 중년, 문학 노인, 문학인입니다."

비즈니스로서의 번역

안톤은 1인 기업이나 다름없이 일한다. 실제로 번역하는 시간은 전체 과정에서 30~40퍼센트고 나머지는 에이전시에 준하는 업무를 본다. 번역권을 따내는 과정은 이렇다.

1. 한국문학을 읽는다.
2. 깊은 감동을 느껴서 체화하고 싶은 욕망이 생기는 작품을 만난다.
3. 번역권을 누가 갖고 있는지 알아본다.
4. 만약 번역되지 않은 작품이라면 샘플 번역 작업을 하고 싶다는 의사를 출판사나 작가에게 전하고 설득한다. (단, 샘플 번역을 했다고 반드시 최종 번역자가 되는 것은

아니다.)

5. 책을 내줄 영미권 출판사를 섭외한다. 직접 편집자를
   만나기도 하고 이메일을 쓰면서 한국에 이렇게 좋은
   작품이 있다는 사실을 알린다.
6. 최종 컨펌을 기다린다.

이때 성사가 되면 번역에 착수하고 그렇지 않으면 그만
이다. 즉, 샘플 번역만 하고 끝나는 경우도 있다는 얘기다. 정
작 번역하는 시간보다 번역을 하게 되기까지의 시간이 더 걸
리는 셈이다. 그는 이런 과정을 '배우 같은 삶'이라고 표현한
다. 연기하는 일도 어렵지만 배역을 따내기 위해 노력하고,
자신의 장단점을 어필해야 하는 과정들이 닮았기 때문이다.

안톤은 이제 노련한 배우다. 그가 소설 번역을 주로 하
는 이유는 소설 업계를 더 잘 이해하고 있어서다. 영미권은
소설 업계와 시 업계가 따로 굴러가는 시스템이라서 출판사
도 다르고 편집자들도 다르고 이 두 업계를 넘나드는 작가도
드물다. 영미권에서 출간되는 한국 책은 1년에 대략 10~15
권으로 "전업 번역가를 3명 내외로 유지할 딱 그 정도"의 규
모에다가 문학 위주였다. 논픽션 장르는 불모지였는데 그가
물꼬를 텄다. 《죽고 싶지만 떡볶이는 먹고 싶어》는 그가 번
역한 책 중에 가장 많이 팔린 베스트셀러다.

"어떻게 자신감이 생겼냐면 《죽고 싶지만 떡볶이는 먹

고 싶어》라는 책의 번역을 제안받았어요. 제가 선택한 게 아니라 에마 허드먼Emma Herdman이라는 블룸즈버리Bloomsbury 출판사의 편집자가 제안했죠. '이제 논픽션도 번역이 되는구나, 이게 기회야' 싶었죠. 마침 그때 문학과지성사랑 다른 작업으로 얘기를 하다가 제가 《무한화서》를 너무나도 좋아하는데 한번 해봐도 되냐고 여쭤봤어요. 문학과지성사에서 저 대신에 이성복 시인한테 접촉해서 허락을 받았죠."

《무한화서》는 이성복 시인의 시 창작 수업 내용을 담은 아포리즘이다. 페이지마다 금과옥조 같은 문장이 나온다. 예를 들면,

"앎이란 모르는 상태를 견딜 수 있는 능력이에요. 모르는 걸 피하려 하지 마세요. 아는 것처럼 이야기하는 게 더 나쁜 거예요. 모르면 알 때까지 기다릴 수 있잖아요. 기다림은 힘들어도 좋은 거예요"[2] 같은.

좋은 책이 그러하듯, 시를 글쓰기에 대입하거나 인생으로 확장해도 맞아떨어지는 이야기다. 나도 한동안 머리맡에 두고 읽다 잠들곤 했던 아끼는 책이다. 안톤이 《무한화서》 예찬을 이어갔다.

"제가 진행하는 워크숍에서 《무한화서》를 번역해서 비공개로 그냥 보여줬어요. 근데 다들 열광했어요. 이게 어디서 나온 글이냐고, 아포리즘이 너무 아름답다고…… 문학관이 뒤집어지는 반응이 막 느껴져서, 이거 먹히겠구나, 나만 좋아하는 게 아니구나! 그러니까 제가 뭘 좋아하면 저만 좋

아하는 게 아니에요. 그게 제 비결 같아요."

"문학적인 눈도 있고 글로벌한 대중적인 감각도 있는 거네요?"

"되게 뻔한 감각을 갖고 있다는 거죠. 내가 좋아하니까 다른 사람도 좋아할 거라는 확신이 있었고, 거기에 딱 맞는 출판사가 원고 공모를 하더라고요. 제가 제출했는데 바로 출간이 확정됐어요. 2023년 9월에 나와요. 서블루너리Sublunary 라는 미국 출판사인데요. 그쪽의 반응을 보고 더 제안을 한다면, 저는 이성복 시인의 시를 번역하고 싶어요."

불발 아니고 명중

'아무렴요. 아포리즘도 좋지만 이성복은 시지요.'

나의 가슴은 마구 콩닥거렸다. 이성복의 《남해 금산》은 내가 통으로 필사한 단 한 권의 시집이다(나의 최애 시인은 최승자인데 《남해 금산》을 필사한 이유는 수록된 시편들의 길이가 한 페이지를 넘지 않아서 옮겨 쓰기에 부담이 덜하기 때문이다). 2009년 1월 12일에 열린 어느 낭독회에 가져가서 사인도 받았다. 시인은 이렇게 써주셨다. '잘 사세요, 이쁘게!'(죽음의 계곡을 넘는 팁 1: 좋아하는 작가를 보고 온다.) 그로부터 10년이 더 지나서 경상남도 남해 금산에 있는 보리암까지 시집을 갖고 올라가서 웅장해진 가슴으로 표제시 〈남해 금산〉을 낭독하기도 했다. (죽음의 계곡을 넘는 팁 2: 좋아하는 책에 나온 장소에 가본다.)
나는 아련한 추억에 젖어들었고, 인터뷰는 갑자기 이성복 시
인 덕후들의 만남으로 흘러가고 있었다.

　"어떤 시집 좋아하세요?"

　"다 좋아해요. 근데 《아, 입이 없는 것들》도 누가 번역했
더라고요. 《남해 금산》도 출판은 안 됐는데 완역 샘플을 누군
가 했다는 소문을 들었어요. 제가 10년 전에 그 시집을 번역
하고 싶었거든요. 그러니까 웬만한 거는 다 번역이 됐어요."

　"이게 좀 어렵네요. 하고 싶다고 할 수 있는 게 아니라
뭔가 눈치작전을 해야 되고, 단일화된 시스템이 있어서 조회
해 볼 수 있는 것도 아니고요."

　"이게 참 힘들어요. 이메일을 보내서 확인해야 하는데
그러면 저작권 팀에서 짜증을 내죠. 왜 나한테 이런 일을 시
키냐고. 여러모로 어려워요."

　"그래도 작품이 너무 좋고 이걸 너무 번역하고 싶으니
까 직접 에이전시 업무를 다 하는 거죠?"

　"네! 근데 그러지 말아야죠. 왜냐하면 금전적인 보상이
없어요. 그냥 공짜로 하는 노동이에요. 그게 큰 문제예요. 아
무나 할 수 있는, 희생할 수 있는 게 아니잖아요. 왜 그 시간
과 비용을 번역가가 떠안아야 하는지, 써야 되는 이메일만
해도 엄청나고, 감정노동도 해야 되고, 기다려야 하고요. 이
문학 판 안에서 갑질하는 사람들이 많아요. 아직까지는 그

"그러니까 제가 뭘 좋아하면
저만 좋아하는 게 아니에요.
그게 제 비결 같아요.
되게 뻔한 감각을 갖고 있다는 거."

부분이 가장 힘들고 화가 나는 부분이에요. 나는 그냥 책을 번역하고 싶을 뿐인데 왜 이런 갑질을 견뎌야 하는지."

무체계, 비합리의 노동 조건과 거기에 일일이 대응하느라 "쓸데없이 기분 나쁜 일들"을 겪고 감정 소모에 시달리는 건 한영 번역가나 프리랜서 작가나 크게 다르지 않았다. 우리의 대화는 시 사랑 동호회의 만남에서 집필 노동자 토로의 장이 되어갔다. 안톤은 부커상 이후 그래도 번역권 문의가 수월해지는 등 전반적으로 나아지고는 있지만, 아직까지도 어려운 상황이라고 했다.

"부커상을 탄 분들, 예를 들어 데보라 스미스(한강의 영어 번역가)나 제니퍼 크로프트(올가 토카르추크의 영어 번역가)의 얘기를 들어보면 그분들도 변한 게 별로 없대요. 여전히 에디터들은 원고를 거절한다고 그래요. 부커상 쇼트리스트까지 가는 거랑 이기는 거랑 처지가 비슷한 것 같아요. 그런데도 우리나라에서는 '불발' '못 탔어' 이런 얘기를 많이 하죠. 저는 외국에서 막 '타야 된다' '1등주의' 그걸 전혀 접하지 않거든요. '쇼트리스트 후보' '더블 롱리스트 후보'라고 하지 '불발했다'는 수식어가 붙지 않아요."

당시 안톤은 부커상 인터내셔널 부문 롱리스트(1차 후보)에 《저주토끼》와 《대도시의 사랑법》 번역자로 동시에 올랐다. 하나는 장르소설이고 하나는 퀴어소설이다. 평소에 "좀 더 소수자 중심으로, 좀 더 변두리에 있는 이야기들로 한국문학 번역의 흐름을 바꿔야 한다"는 사명감으로 문학 번역에 임하는 그로서는 '불발'이 아니라 화살이 과녁의 정중앙을 뚫어낸 '명중'이었던 것이다. 2005년 부커상에 인터내셔널 부문이 생긴 이래 같은 번역가가 한 해에 두 권의 책을 올린 일은 그를 포함하여 단 세 번뿐이다. 그중 유색인종은 안톤이 유일무이하다.

분노의 활용

이야기를 더 듣고 싶었다. 이러한 온갖 어려움에도 불구하고 애초에 그는 왜 한국문학을 세계에 알리려고 남들보다 앞서서 노력하게 된 것인지.

"저를 알리는 거나 마찬가지이기 때문에 저의 중요한 일부 같아요. 영미권 출판계는 백인 우월적이고, 백인 중심적이죠. 프랑스, 독일, 이태리 문학이 아니면 다 변방이에요. 인종차별의 심한 정도를 다 말씀드릴 수가 없어요. 저 정도 지위에 올라온 번역가가 백인이 아니라는 건 일단 흔하지 않아요. 부커상 최종 후보들 중에서도 백인 아닌 번역가는 저밖에 없어요. 이번에 전미도서상 롱리스트에 오른 책이 열 권인데 번역가가 거의 다 백인이에요. 한 명만 이란 사람 같아요. 매년 그래왔고요. 거기에 대한 문제의식이 전혀 없어요. 이 백인 우월주의가 해외에만 존재한다고 볼 수는 없을 거예요. 국내 상황도 다르진 않고요. 제가 아는 한국문학 번역가 중에 백인이나 교포, 유학파가 아닌 사람은 딱 한 명이에요. 배명훈의 《타워》, 최은영의 《쇼코의 미소》를 번역한 류승경 번역가뿐이죠."

"한국문학을 알리는 게 나를 알리는 거나 마찬가지"라는 게 그에게 어떤 맥락과 의미인지 부연 설명을 요청했다.

"왜냐하면 제가 한국 사람이니까요. 외국 사람, 특히 우리나라에 사는 외국 사람들조차 이렇게 생각해요. 동양 사람들, 한국 사람들 다 똑같다. 너희 생각은 다 똑같고, 너희 생각은 다 자기가 알고 있다고 착각해요. 그래서 제가 굳이 다양성을 강조하는 거예요. 나는 장르문학을 원한다, 퀴어문학을 원한다, 여성문학을 원한다, 이런 것들을 다 내보내서 한국 사람들도 다양하다는 걸 보여주고 싶어요. 편견을 깨기 위해서죠.

외국 사람들이 우리나라에 대해 갖는 편견이 굉장히 폭력적이에요. 미국의 경우에는 아시안 노인들, 아시안 젊은 여성들이 엄청난 폭력에 시달려요. 길 가다가 얻어맞고 그래요. 이런 편견을 깨기 위해서 우리도 생각을 가진 사람들이다, 너네가 생각하는 것처럼 피상적인 사람들이 아니라는 것을 어떻게 보여줄 거냐? 문학이 최고잖아요. 우리가 아무리 공부를 잘하고, 아무리 과학 논문을 많이 내고, 삼성이 세계를 지배해도 아직까지 그런 편견을 갖는 걸 보면 다른 영역으로 우리를 보여줄 수밖에 없어요."

이것이 미국 시인 오드리 로드가 말한 '분노의 활용'인가. 오드리는 흑인이자 여성이고 레즈비언으로서 여러 층위의 분노를 경험한다. 배제에 대한 분노, 당연시되는 특권에 대한 분노, 인종적 왜곡에 대한 분노, 침묵에 대한 분노, 고정관념에 대한 분노. 이러한 분노는 그를 주저앉히는 게 아니라 일으켜 세운다. 사랑의 힘을 길러주고 시를 쓰게 한다. 그래서 "정확한 대상에 초점을 맞춘 분노는 진보와 변화를 촉진하는 강력한 에너지원"[3]이 될 수 있다고 말한다.

안톤도 분노를 잘 활용하는 번역가다. 그는 문학을 연장 삼아, 배제하고 왜곡하고 고정관념으로 사람을 대하는 케케묵은 차별 관념과 관행에 균열을 일으키며 변화를 꾀하고 있다.

다정한 왈가닥

안톤이 2017년에 영국문학번역원에 갔을 때다. 일주일간 열리는 번역 서머 스쿨에서 스탈링 뷰로Starling Bureau라는 번역가 모임이 강연을 했다. 이때 안톤과 같이 있던 소피 보우만Sophie Bowman이 "우리도 모임 만들자. 재밌을 것 같다"고 제안했다. 이미 워크숍을 같이 하는 사이였기 때문에 그러면 우리 해보자고 의기투합했다. 웹디자인을 할 줄 아는 안톤이 웹사이트를 만들었다. 해외 출판사에 번역을 제안할 때 "우리 웹사이트가 있다, 우리 프로필이 여기 있다, 이 책에 대해서 더 읽고 싶으면 여기로 오시라"고 링크를 주는 용도로 쓰고자 했다. 좀 더 공식적이고 좀 더 있어 보이기 위한 시도였다. 웹사이트에는 아홉 명의 프로필만 올라가 있고 실제 멤버 수는 열다섯 명이다. 그렇게 번역가 모임 스모킹 타이거즈가 탄생했다.

"사람들은 우리가 번역의 어벤져스인 줄 알아요. 우리는 같은 시기에 생성된 다른 번역 콜렉티브(집단)와 비교해봐도 성공한 케이스예요. 그런데 저희는 그냥 비슷한 시기에 활동한 사람들이 모인 거죠. 더 젊은 번역가들이 들어오려고 하면 제가 우리한테 별거 없으니까 다른 콜렉티브를 만들라고 권유해요. 도움이 필요하면 언제든지 나한테 오라고 하고요. 셋업하고 웹사이트 만드는 거 도와줄 수 있다, 그런데 굳이 여기로 들어올 필요는 없다고요. 가장 이상적인 거는 번역 콜렉티브가 여러 개 수백 개 수천 개 생기는 거지 이거 하나가 막 문학 권력을 갖고 있는 건 너무 안 좋고 이상한 거 같아요."

안톤은 '문학 권력'이 되지 않기 위해 자중자애하고 있다.

"지금은 조심해야 되는 게 제가 올라오는 젊은 번역가들 일거리를 다 낚아채면 안 되잖아요. 특정 작가의 더 유명한 책이 있고 덜 유명한 책이 있고, 더 번역하기 어려운 책이 있고 번역하기 쉬운 책이 있잖아요. 저는 좋은 것만 골라 가고 싶지 않아요. 왜냐하면 제가 당해봤기 때문이죠. 저는 원래 아무 말이나 다 하는 사람이었는데, 어느 날 친한 번역가 친구가 저한테 농담 반, 진담 반으로 '근데⋯⋯ 저⋯⋯ 안톤, 이제 그렇게 말하고 다니면 안 된다. 왜냐하면 다른 사람들이 들었을 때는 '안톤이 이런 말을 했어' 이렇게 돼버리기 때문에 조심해야 된다⋯⋯'라고 조언해 주더라고요. 내가 항상 해왔던 대로 왈가닥인 식으로 하면 많은 사람들이 상처가 되겠구나, 주목하는 사람들도 많아졌고. 그래서 내가 하고 싶다고 무조건 가져가면 안 되고, 가끔 양보도 해야 하고⋯⋯."

왈가닥! 안톤의 자유분방한 이미지에 맞춤한 단어라고 말하자, "감사합니다. 저는 정말 우아한 사람이 아니에요"라고 한다. 그런가? 우아함이 거리에서 느껴지는 아름다움이라면 그렇다. 안톤은 가까이 다가간다. 한국문학 번역가를 꿈꾸는 사람들이나 후배들에게 공식적으로나 비공식적으로 멘토링을 해오는 다정한 사람이다.

"번역가들한테 제가 항상 하는 얘기가 있어요. 여러분은 소중한 자원이다. 누가 당신한테 가스라이팅을 하고 갑질을 해도, 여러분은 정말 소중한 자원이고 하고 싶은 번역을

"저는 정말 우아한 사람이 아니에요"

다 할 수 있기 때문에, 절대로 이 사람들이 이렇게 말했다고 해서, '내가 정말 저렇구나'라고 생각하면 안 된다."

번역 욕심

내가 어떤 사람인지, 남에게 맡기지 않고 스스로 설명해 보는 것은 자신을 아는 하나의 방법이다. 안톤은 한국문학 번역가로서 자신에 대해 이렇게 서술한다.

"나는 번역 욕심이 많다. 모든 문학작품을 번역하고 싶다. 하루 종일 번역을 하다 보면, 작가가 앞에 앉아서 얘기를 해주는 느낌이 든다. 매일 작가와 함께 시간을 보내는 기분이랄까. 작가에겐 일개 번역가일 수 있지만, 자기 작품을 믿고 맡긴다는 건 마음의 선물, 신뢰를 주는 일이다. 그런 이유로 최선을 다해 번역하려고 노력한다."

그의 최선, 그의 노력에 대해서는 지금껏 소상하게 들었으나 개인적으로 궁금한 게 있었다. 한국문학 번역가 안톤의 한국어 공부법이다. 그는 잠시 생각에 잠기더니 네 가지를 말했다. "시를 많이 봐야죠, 한자가 중요한 것 같고요, 책을 많이 읽고요, 모든 걸 완벽하게 읽고 써야 된다는 강박을 안 가지려고 해요."

"완벽에 대한 강박을 안 갖는 게 왜 중요해요?"

"저는 언어가 완벽해야만 의미 전달이 된다고 생각하지 않아요. 발화자 혹은 작가의 에너지가 중요하고, 그 에너지가 전달되는 거니까요."

"맞아요. 좀 거칠어도 에너지가 있는 글이 힘이 있죠."

"헤밍웨이가 어떤 이야기를 했냐면요. 사람들이 '헤밍웨이 스타일'이 있다고 했대요. 굉장히 명쾌한 스타일이라고요. 그런데 헤밍웨이 본인은 명쾌하게 전달을 하려고 하다가 실패한 부분들을 보고 '아 이게 스타일이구나!'라고 얘기한대요. 스타일이란 부속물같이 의도하지 않은 것이라는 거죠. 어색한 부분들이, 거친 부분들이 스타일이죠."

소설가 박상영이 안톤을 끌어당긴 것도 그가 고유한 에너지를 가진 문체의 소유자라서다.

"뭔가 저랑 잘 맞는 느낌이 들었어요. 제가 농담으로 '작가님은 굉장히 앵글로색슨적인 문체예요'라고 하거든요. 일단 문장을 굉장히 잘 쓰고 되게 정확하고 솔직하게 쓰는 분이에요. 어떤 '병적인 솔직함', 끝까지 가겠다는 각오를 가지고 모든 것을 내려놓는⋯⋯. 그게 문체에 있거든요. 이런 정확성이 마음에 들었어요."

그렇다면 안톤만의 번역 스타일은 무엇일까.

"사람들이 자꾸 제 번역 스타일에 대해 물어봐서 '통역 같은 번역'을 한다고 말했어요. 실제로 영문학은 기본적으로 구어체죠. 문어체라는 개념이 있기는 한데요, 문어체로 쓰인 글은 17세기 고전문학 같은 느낌이 들거든요. 18세기, 19세기만 해도 구어체를 많이 사용해요. 최근 들어 국문학도 입말에 가까운 구어체로 점점 가고 있죠. 영미문학 전통에 조금 더 가까워지고 있는 것 같아요."

통역 같은 번역이라는 말이 단지 비유만은 아닌 게 그는 번역을 몸으로 하는 편이라서 컨디션 조절을 중시한다. 오후 4~5시가 지나면 작업 중인 문서 창을 닫는다. "독자들이 귀신같이 알아요. 이건 에너지가 없는 상태에서 번역했다, 이날은 좀 피곤했고 이날은 좀 활달했고를 알더라고요. 저도 독자로서 알고요."

다시 질문으로 돌아가서, 안톤이 한국어 능력을 연마하는 방법의 1순위로 꼽은 '시를 많이 읽는 방법'에 대해 들어보았다.

"시를 읽고, 이해가 안 돼도 읽다 보면 걸리는 게 있어요. 그럼 그 부분을 들여다봐요. 뒤집어 보고 옆에서도 보고 아래서도 보고 올려서도 보고. 19세기에는 이 단어가 다른 의미로 쓰였나 해서 그걸 찾아보고. 오히려 시가 막 한 번에 이해되면 '아름다워! 좋았어!' 하고 잊어버리게 되잖아요. 그거보단 좀 거슬리는 곳이 있으면 거기가 시로 들어가는 창문이 돼요.

제가 좋아하는 미국 소설가 바버라 킹솔버가 시집을 냈어요. 시집을 읽는데 소설가가 쓴 시집이란 편견 때문인지, 그 의미가 다 수렴되는 거예요. '너무나도 기발한 메타포야!'

하는데 그 경험이 시마다 있으니까 '이게 바로 소설가가 쓴 시구나'라는 느낌이 들었어요. 방대한 내러티브가 하나의 엔딩으로 수렴되는 소설의 구조를 바버라 킹솔버가 본의 아니게 시에도 적용하는 것 같아요.

반대로 루이즈 글릭의 시는 수렴이 아니고 오히려 발산하는 느낌이 있어요. 내가 몰랐던 어디로, 안 보이는 데로 가요. 심지어 네가 이걸 100퍼센트 이해를 하든 안 하든 나는 내가 가야 되는 길을 간다, 네가 따라올 수 있을 만큼 따라와라 이런 게 있더라고요. 김언 시인이 '자기의 시는 길을 찾기 위한 시가 아니라, 길을 잃기 위한 시'라고 얘기한 적이 있는데, 이게 그 뜻 같아요. 그리고 저는 아무래도 번역가니까 구조와 형식을 많이 봐요. 추상적인 의미는 잘 모르는 것 같아요."

그는 요즘 관심 가는 젊은 시인으로 시집《나랑 하고 시픈게 뭐에여?》로 김수영 문학상을 탄 최재원 시인을 꼽았다.

"뭐랄까, 섹시하면서 웃기면서 되게 잘 쓰더라고요. 부러워요."

창조인상

안톤은 2022년 홍진기 창조인상 문화예술 부문을 받았다. 그는 수상 소감에서 "이름에 창조가 들어간 상을 번역가한테 준 큰 의미를 마음속에 깊이 받아들이겠다"라고 말했다. 아직 한국에서는 번역가의 존재가 무시당하거나 이름이 지워지는 게 흔한 일이다. 작가나 문학인으로 보는 인식이 희박하다.

"저한테는 번역이란 당연히 창조 행위거든요. 버몬트 주에 있는 미들버리대학교에 브레드 로프Bread Loaf라는 거의 100년 된 여름 문학 프로그램이 있어요. 그중 문학 번역 부문에서 제가 강연을 했어요. 주제가 '글쓰기와 번역의 차이'였죠. 사람들이 저한테 자꾸 물어봐요. 왜 자기 글은 안 쓰냐고. 저한텐 그 질문의 의미가 '번역은 쉽잖아' '번역은 창작이 아니잖아'라는 말로 들리거든요. 그런데 몇몇 작가들의 창작론을 들여다보면 '조용한 곳에서 자기 안의 목소리를 듣는다, 들리는 걸 쓴다'라고 말하죠. 그게 번역하고 똑같아요. 저는 원문을 읽고 기다려요. 그러다 보면 영어가 들려요. 그걸 받아 적어요. 그럼 다음 문장을 읽고 기다리면 또 영어가 들려요. 그걸 또 받아 적어요. 그렇게 번역을 하거든요. 저는 제 무의식의 비서예요. 무의식이 번역을 하죠. 창작도 그렇더라고요. 저도 그런 방식으로 장편소설을 썼고, 에이전트가 채택해서 지금 여기저기 팔고 다니죠. 제가 실행해 본 결과 똑같아요. 둘 다 무의식에서 오는 창조 행위죠."

"글쓰기와 번역의 차이는 없는 거네요."

"저한테는 없어요."

"강의 제목은 '글쓰기와 번역의 차이'지만 둘의 차이는 없다는 결론이 났습니다."

"강의 끝에서 제가 어떤 말을 하냐면 '너희는 왜 번역을 안 해?'라고 되물어요. 그렇게 끝나요."

관계 거르기

소설가 폴 러셀Paul Russell의 《THE GAY 100》이라는, 지금은 절판된 책이 있다. 고대 그리스부터 오늘날까지 서양 역사에서 동성애자였던 역사적 인물 100명을 추려 조명한 책이다. 그중에는 작가, 예술가, 음악가가 단연코 다수를 차지한다. 문인에는 소설가 오스카 와일드, 시인 월트 휘트먼, 대문호 셰익스피어를 비롯해 버지니아 울프, 에밀리 디킨슨, 앙드레 지드, 마르셀 프루스트, 제임스 볼드윈, 장 주네, 테네시 윌리엄스, 랭보와 베를렌느, 미시마 유키오, 앨런 긴즈버그……

역사의 서술이 대부분 이성애자들에 의해 주도되어 왔기 때문에 과거에 살았던 모든 중요한 인물들은 모두 이성애자일 것이라고 가정하게 되는데 이 책의 저자가 말한 대로라면 그렇지 않은 것이다. 내 앞에 앉아 있는 안톤은 자신의 퀴어 정체성을 밝히고 활동한다. 부커상 인터뷰에서도 '남편'을 언급했다.

"그럴 수 있을 정도로 제가 쌓아온 게 있다는 거죠. 누구나 저처럼 행동할 수는 없죠. 저는 이렇게 행동하기 위해서 노력을 하고 제 인생을 만들어놨기 때문에 가능한 거죠. 제가 만약 프리랜서가 아니라 대기업 같은 조직에서 일하고 있었다면 이렇게 행동할 수 없죠."

그의 말은 차별을 개인의 노력으로 극복할 수 있다는 뜻이 아니다. 나 자신으로 살기 위해 자기 인생을 만들어놓았다는 건 이런 거다.

"저는 퀴어를 싫어하는 사람하고는 처음부터 일하고 싶지 않아요. 상대하고 싶지 않아요. 애초에 내가 이런 사람이라고 얘기하면 그런 사람들이 알아서 피해 가잖아요. 윈윈이죠."

이건 나도 추천하는 방법이다. 한국 사회는 "존재를 설명하기 위해 너무 큰 용기"⁴를 요구하는 세상이다. 가령, 나는 고아다, 나는 이혼했다, 나는 레즈비언이다, 나는 학교폭력 생존자다, 나는 조울증 환자다 등, 자기 정체성의 한 자락을 내보이면 그것을 그 사람의 전부로 낙인 찍어버리는 사회 분위기가 있다. 그래서 글쓰기 수업에서도 사람들은 '남들이 보는 나'라는 자기 안의 검열관과 싸운다. 나는 그럴 때면 말한다. 생계나 피치 못할 사정이 아니라면, 그걸 약점으로 보는 사람과 놀지 말라고, 자연스레 멀어지는 기회로 삼으라고. 이보다 더 현명한 관계의 기술은 없다. 안톤처럼 내가 나임을 드러내면 자기답게 살 수 있는 관계의 안전망이 구축되기도 한다.

"시를 많이 봐야죠,
한자가 중요한 것 같고요,
책을 많이 읽고요,
모든 걸 완벽하게 읽고 써야 된다는
강박을 안 가지려고 해요."

그는 읽을 책을 고를 때도 '인권감수성의 체'로 거른다. "일단 여성 비하적인 책, 호모포비아적인 책, 트랜스포비아적인 책, 인종차별적인 책은 안 돼요. 읽다 보면 그런 게 가끔 나오는데, 그때는 그냥 내려놔요." 그는 어느 글에서 "여성의 이야기는 중요합니다"라며 페미니즘의 중요성을 설파하기도 했다. 여성의 목소리를 특히 강조하는 이유가 있는지 묻자 "너무 당연하지 않나요?"라고 반문한다. 물론 지당한 말씀이다. 그런데 장애나 인종 등 다른 차별 이슈와 달리 페미니즘을 더 강조하는 까닭이 궁금했다.

"퀴어는 어디에나 있지만, 자신한테 커밍아웃한 퀴어가 없어서 내 주변에는 퀴어가 없다고 인식할 수 있다고 쳐요. 100만 번 양보해서요. 그런데 내 주변에 여성이 없다고 할 수는 없잖아요. 우리는 모두 여성으로부터 오니까, 어디를 가도 다 남자만 상대하는 어떤 극단적인 상황이 아니라면 당연히 주변에 여성이 있어요. 그러니까 핑계를 댈 수가 없어요. 내가 아는 사람 중엔 없었어, 나는 무지해, 이럴 수가 없죠. 그래서 호모포비아를 만나면 ×같고 인종차별주의자를 만나면 ×같지만 여성혐오주의자를 만나면 진짜 ×같죠. 주변 어디에나 있는 여성에 대해서도 이런 생각을 하는 너는 정말 희망이 없는 사람이야, 그런 느낌이 특별히 더 드는 거죠."

마돈나, 비욘세, 배우자

정보라 작가는 한 인터뷰에서 "안톤 허를 번역가로서 어떻게 생각하느냐"는 질문을 받았을 때 이렇게 대답했다. "한국어 모국어 사용자의 힘이다. 원어민으로서 이해를 할 수 있기 때문에 영어로 옮길 수 있었다. 안톤 허 선생님은 번역 일을 굉장히 진지하게 생각한다."

그걸 읽고 안톤은 생각했다.

'내가 진지한가? 내가 진지한 거구나. 근데 왜 나는 내 감정을 다 망칠 정도로 번역 생각을 하지……?'

내가 본 안톤의 느낌도 그렇다. 모국어와 영어 실력에 대한 자부심이 높고, 겸손이 필요치 않도록 노력을 최대치로 끌어올리고, 한영 번역가로서 자긍심이 드높다. 그래서 잘 다치기도 한다. 원래 더 많이 사랑하면 더 많이 상처받는다. 일을 대하는 온도와 태도가 나와는 다른 사람들의 무신경, 무감각, 무지를 감당해야 한다. 그는 "왜 그런지 모르겠는데, 너무 감정 깊숙한 곳까지 막 파고드는 게 있다"고 했다.

"작년이었던가. 다니엘 한Daniel Hahn이라는 유명한 번역가가 저를 멘토링해 줬는데요. 제가 감정 소모를 줄일 방법이 없냐고 물어보니까, 그냥 성격의 문제라고 하더라고요. 다니엘 한은 부처 같은 분이거든요. '내가 저래야 하나 저건 내 스타일이 아닌데.' 그런 고민을 많이 했어요. 노하우가 없어요. 힘들 때마다 류승경 번역가라든지 제 배우자라든지 저를 도와주는 사람들과 함께하고, 경쾌한 마돈나 음악이나 비욘세를 들으면서 감정을 극복하려고 노력해요."

2022년 12월에는 안톤의 첫 영한 번역 시집, 오션 브엉의 《총상 입은 밤하늘》이 나왔다. 머지않아 출간 예정인 자신의 번역 에세이를 집필 중이고, 최승자의 시와 산문도 번역 작업에 매진 중이다. 엠바고가 걸려서 제목은 밝힐 수 없지만 샘플 제작 단계라고 했다. 책이 내년에 나오냐고 물었더니 아니란다.

"우리나라 출판사는 원고가 11월에 들어가면 책이 막 12월에 나와요. 우리나라는 금속활자 종주국이기 때문에 가능한 것이고, 구텐베르크의 후계자들인 서양에서는 책이 나오는 데 거의 2년 걸려요. 그 책이 팔려도 빨라 봐야 2024년이죠."

안톤은 《저주토끼》에 대해 이렇게 말했다. '아무리 끔찍하더라도 좋은 이야기를 말해주는 기쁨'이 있는 작품이라고. 인터뷰를 다 마치고 나니, 안톤을 꼭 닮은 책이라서 통했구나 싶은 생각이 들었다. 그는 아무리 힘든 이야기를 해도 어두워지지 않는다. 솜사탕 같은 환한 달콤함을 발산한다. 하강의 기운을 상승의 언어로 번역한다. 깊이 있고 재치 있는 어록도 많이 남겼다. 그만의 느낌, 무의식 같은 '즉각적으로 보는 능력'에서 나온 표현은 명쾌하고, 느린 랩처럼 귀에 쏙 쏙 박히는 리드미컬한 말투는 대화의 유희를 더했다. 나는 원고를 쓰면서도 혼자서 크쿡쿡 웃다가 생각에 잠기기를 반복했는데, 가장 멋진 말, 가장 신나는 말, 그래서 가장 그다운 말을 꼽으라면 이거다.

"그 책을 보자마자 너무나도 너무나도 번역을 하고 싶었어요."

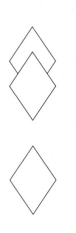

소제

— 종이잡지클럽에서

나는 가능 속에 살아요[1]

—에밀리 디킨슨

초과 선언

건물 외벽으로 난 계단을 타고 2층으로 올라가야 출입
문이 있는 진부책방스튜디오는 ㄱ 자 모양의 통창으로 쏟아
지는 햇살 세례에 터질 듯 환했다. 음악도 손님도 없다. 초여
름 도심의 오전이지만 눈 날리는 산장에 온 듯 고요하다. 공
간의 가운데 있는 테이블에 인터뷰 자리가 마련됐다. 나는
한영 번역가 새벽과 마주 앉았다. 어쩐지 노천극장의 무대에
오른 기분이 들어 머쓱했다. 준비한 질문을 던지고 답이 오
가며 말들이 벽돌처럼 쌓이자 차츰 주변이 암전된 듯 상대의
말에 몰입할 수 있었다. 얼마 후 누군가 슬며시 등장했다.

그는 저만치 자리를 잡더니 이쪽을 향해 비스듬히 돌아
앉았다. 나도 힐끔거렸다. 저이는 누굴까? 얼굴이 잘 보이지
는 않았지만 시간이 흐르면서 그가 우리 대화를 온몸으로 흡
수하고 있음이 느껴졌다. 혹시 그일까. 짐작이 가는 인물이
있긴 했다. 만약에 그라면 왜일까. '인터뷰'라는 연극에 온
유일한 관객 같기도 하고 조연 배우 같기도 한 그는 다음 인

터뷰가 예정된 한영 번역가 소제였다.

그로부터 2주 후, 서교동에 위치한 종이잡지클럽에서 소제를 만났다. 지하에 자리한 어둑한 공간으로 다급하게 뛰어들어오는 모습은 약속 시간에 자신이 먼저 와 있어야 한다고 생각하는 사람의 걸음걸이다. 이번에는 저만치가 아닌 이만치, 나의 맞은편에 앉았다. 마침 천장의 조명도 그를 비췄다.

"제가 인터뷰 1번이 아니어서 다행이죠. 빠릿한 스무 살의 저였다면 그날 인터뷰를 지켜보고 뭔가 메모를 해서 왔겠죠. 근데 오늘 저는 땀 흘리는 사람밖에 안 되네요…… 하하. 새벽은 자주 볼 수 있는 사람이 아니니까 한국에 와 있는 동안 얼굴을 많이 보려고 갔던 거예요."

인터뷰를 라이브 현장에 와서 '예습'하는 사람을 나는 처음 봤는데, 그 모습이 엉뚱하고도 존경스러웠다. 일과 우정에 바치는 열의와 행동력은 얼마나 소중한가. 더군다나 사전조사에 따르면 굳이 그럴 필요가 없었다. 그는 이미 인터뷰 고수다. 소제는 이혜미의 《뜻밖의 바닐라》, 최진영의 《해가 지는 곳으로》, 이소호의 《캣콜링》을 영어로 옮겼다. 번역하는 과정에서 이혜미 시인, 이소호 시인, 최진영 소설가, 정세랑 소설가를 각각 인터뷰하고 글로 남겼다. 한 호흡에 읽힐 만큼 대화를 끌고 가는 리듬이 좋았고 내용은 탄탄했다. 과감하고 노련한 필치였다. 이건 아무리 봐도 경험이 쌓인 인터뷰 전문 기자의 글 같았다.

이민자 어린이의 귀

"미국은 중학교가 2학년까지고 고등학교가 4학년까지예요. 고등학교 3학년 때 아파서 자퇴를 했거든요. 무기력이 몰려오고 대학은 어떻게 가야 할까, 고민하다가 집 근처에 있는 커뮤니티 칼리지(각 주의 제정으로 운영되는 2년제 대학)에 입학해서 학보사에 들어갔어요. 전공은 영문학인데, 어렸을 때부터 좋아하던 글쓰기로 먹고살 방도를 찾다 보니 간 거예요. 거기서 인물 중심의 피처 기사를 썼어요. 커뮤니티 칼리지는 일반적인 대학교와 다르게 다양한 삶의 모습을 가진 학생들이 와요. 주부, 저 같은 자퇴생, 노숙하거나 일하면서 공부하려는 사람들이요. 상대적으로 제가 어렸어요. 저의 무능력을 숨기려고 인터뷰할 때 준비를 많이 했어요. 소중한 시간이었어요. 바로 4년제 대학으로 갔다면 하지 못했을 특이한 경험이었죠."

소제는 바로 다음 학기에 학보사 편집장이 됐다. 저널리즘 수업을 들으면서 지역의 작은 신문사 인턴도 겸했다. 그렇게 스무 살부터 만나고 듣고 쓰는 인터뷰 실무를 배워간 것이다. 하지만 누구나 경험이 곧 실력이 되는 건 아니다. 소제의 잘 듣는 능력은, '커다란 귀'가 만들어진 것은 훨씬 이전, '이민자 어린이' 시절부터 파고들었던 책을 통해서다.

"우리 미국으로 가."

어느 날 엄마가 말했다. 그 말에 별 저항감이 없었다. 또 이사하네, 하는 느낌. 대구에서 태어나 안동에서 자랐는데 어려서부터 이사가 잦아서 고향이란 느낌이 딱히 없었다. 부모의 통보가 있고 나서 한 달 만에 한국을 떠났다. 여덟 살 때의 일이다.

도착지는 켄터키주. 코리아타운이 아니었다. 소제는 동네 아이들이 본 최초의 동양인이었다. 영어의 기초도 배우지 못하고 초등학교 3학년으로 들어갔는데 바로 다음 학기부터 영어로 독후감을 써야 했다. 날벼락 맞은 것처럼 영어를 배웠다. 6개월 후에는 저소득층이 밀집한 동네로 이사를 갔다. 멕시코 이민자가 대다수였고 아이들이 영어가 아니라 스페인어로 수다를 떨었다. 영어는 서툴고 스페인어는 하나도 모르니 아예 입을 떼지 못했다. 그리고 또 다른 동네로 이사했다. 마음 맞는 친구를 사귄 기억도 없다. 그냥 책만 읽었다. 도서관에 자주 갔다. 동생은 몸이 아파서 소리를 지르기도 했고, (이게 책에 실리면 부모님이 속상해하시겠지만) 부모님이 자주 다퉈서 항상 집이 시끄러웠다. 책은 조용한 공간에서 읽으니까 그 시간이 되게 소중했다. 그런 소제를 보며 부모님은 '또 책 읽네' 하며 안심했다. 책을 읽을 때는 아무도 방해하지 않는다는 걸 알아버린 아이는 더 자주 이야기 속으로 사라져서 등장인물이나 그 캐릭터를 만든 작가들과 친밀감을 쌓아갔다.

"동생이 지적 장애가 심한 편이에요. 어렸을 때는 다른 사람들 시선이 잘못됐다는 걸 알면서도 숨고 싶었어요. 동생을 숨기려고 하는 게 아니라 제가 그 자리에 없기를 바랐어요. 사람들은 저와 친해지려고 "너 형제가 있냐?"고 물어보는데, 답하는 순간부터 어색해져요. 대부분의 사람들이 장애인 가족을 둔 사람을 어떻게 대할지 모르잖아요. 미안하다, 힘들겠다고 얘기하는 사람도 있고, 갑자기 정색하는 사람도 있고, 어릴 때는 애들이 놀리고⋯⋯. 부모님은 장애인에 대한 평등한 시선을 찾아서 미국에 가셨지만 거기엔 인종차별이 있었죠."

요즘도 소제는 자주 생각한다.

만약 내가 미국이 아닌 한국에 있었다면 성격이 어떻게 발달되었을까, 하고.

"왜냐하면 미국에서는 인종차별, 여성 차별, 성소수자 차별, 장애인 차별이 다 섞여 있으니까 스스로도 못 믿었던 시절이 있었어요. 어떻게 이렇게까지 소수자일 수 있나? 내가 지어내는 거 아닌가? 그럭저럭 살고 싶은 게 너무 큰 특권으로 느껴졌어요."

할렘 르네상스

존재 물음에 답을 찾아가는 여정은 UC버클리에 편입하면서 시작되었다. 거기서 퀴어 이론, 탈식민주의 이론을 배웠다. 첫 학기에 버지니아 울프 연구자인 교수가 모더니즘 시기 퀴어 작가들의 작품론 수업을 했다. 그토록 원했던 소수자 문학을! 어느 시대나 소수자가 있었고 동인 같은 문학 모임도 있었다. 버지니아 울프가 활약해서 유명해진 지식인과 예술가의 사교 모임 '블룸즈버리Bloomsbury'가 전부는 아니었다. 소제의 마음을 흔든 건 '할렘 르네상스'다.

"1920년대 뉴욕 할렘에서 소수자들이 만들어낸 예술 운동이에요. 퀴어, 가난한 사람, 흑인이나 라틴계 미국인 같은 유색인종 작가들이 무자비한 차별에 저항하며 글을 썼고, 기존의 틀을 깨부수려는 의지로서 스스로 독립 출판물을 만들고 그걸 통해서 본인들의 색깔을 표출했다는 걸 배웠어요. 되게 멋지죠. 그때는 제가 너무 외로웠어서 그런 모임이 있었다는 사실만으로 희망을 느꼈죠."

당시 버클리대학에 재직 중이던 권영민 교수는 한국 현대문학사를 관통한 장본인으로서 '청록파' 이야기를 실감 나게 들려주었다. "목월이랑 지훈이가 편지로만 소통하다가 어느 봄날 기차역에서 만났다"라거나, 박목월의 〈나그네〉는 조지훈이 보낸 〈완화삼〉에 대한 화답시라거나. 일제강점기라는 억압적인 시대에 태어난 우정 서사에, 소제는 또 감동했다.

"벗에 대한 동경은 우리 자신을 드러내주는 누설자"[2]라고 니체는 말했다. 소제에게 동경하는 대상이 생기는 것은 자신을 설명할 언어를 모으는 일과 다르지 않았다.

"교수님이 계속 강조했죠. 청록파 시인들이 활동했을 때가 지금 너희 나이라고요. 그 말에 영문학을 공부하며 교류하는 친구들의 면면을 떠올리고 제 삶도 다르게 보게 되었어요."

소제는 "사회성이 없어서"라는 말을 자주 했다. 나는 반론을 제기했다. 사회성이 없는데 어떻게 모임을 추구하느냐고. 그는 웃으며 "외로워서" 그랬다고 했다. 외로워서 책에 파고들었는데 책은 외로운 사람끼리 뭉치는 법을 일러주었다. 소제는 꿈꾸었다. 문학을 좋아하는 사람과 함께하는 삶을, 그리고 '문학'과 '함께'라는 키워드의 결합은 그에게 '번역'이라는 새로운 세계를 열어주었다.

오정희와 토니 모리슨

한 사람의 '운명의 지침'을 돌려놓은 글은 오정희의 단편 〈저녁의 게임〉이다.

처음 읽었을 때를 회상하며 소제는 "와……" 하고 쉽사리 말을 잇지 못했다. 오정희의 "다크한 문체"는 단박에 그를 사로잡았다. 바로 도서관에 달려가서 다른 작품을 찾아

읽었다. 1968년에 발표된 〈완구점 여인〉에는 장애인 여성과 여고생의 사랑이 묘사된다. 그 시대에 레즈비언 이야기가 소설로 나오다니, 보면서도 믿기지 않았다.

"그때부터 오정희 작가에게 약간, 아니 많이 미쳐 있었어요."

소제의 고백에 나도 덩달아 설렜다. 사랑 이야기는 언제나 혹하니까.

"산다는 것은 […] 우리보다 먼저 존재했던 문장들로부터 삶의 형태들을 받는 것"[3]이라고 롤랑 바르트는 말했다. 소제에게 오정희의 문장이 그러지 않았을까. 말하지 못한 것, 모순적인 것, 불분명한 것이 선명해지는 경험, 감정에 선이 생기고 색이 입혀지는 느낌. 숨겨놓은 경험과 날것의 감정을 인정받는 기분. 이런 책을 우리는 인생에서 만난다. 자주는 아니고 드물게. 그리고 사랑하는 것을 더 잘 사랑하는 방법은 글쓰기다. 구체적으로 쓰기 위해 '그것'을 아주 오래오래 붙들고 있어야 하기 때문이다.

"논문을 쓰기로 했죠. 근데 제가 국문학과가 아니라 영문학과잖아요. 말이 안 됐죠. 작품을 논문에 인용하기 위해서는 일단 번역을 해야 했어요. 번역된 작품이 있었지만 성에 안 찼고, 진정한 덕후로서 번역이 작가님의 위대함을 못 담는다고 생각했으니까요. 논문을 두 편이나 썼어요. 오정희 작가론을 영어로 번역하고, 영문학과 수석 졸업을 하려면 전공에 맞는 논문을 또 써야 해서 원래 좋아하던 토니 모리슨과 오정희를 비교하는 글을 썼어요. 평정심이 없었던 시절이라 아쉽지만, 제 접근 방식은 마음에 들어요."

소제가 '거의 미쳐서' 쓴 논문의 내용은 이렇다.

"오정희의 〈중국인 거리〉에 흑인 병사가 나와요. 토니 모리슨의 《고향home》에도 한국전쟁에 참전한 흑인 병사의 시점이 나오고요. 두 작가가 서로를 탐문해야 된다, 그걸 저 혼자 외치고 있었어요. 저한테는 좋아하는 두 작가를 하나의 문학적 해석으로 녹여내는 일이 절실했죠. 흑인과 (기지촌) 주한미군 위안부가 소수자잖아요. 둘 다 사회에서 존중받지 못하는 존재들인데, 왜 서로를 이해하지 못하나, 왜 서로를 돕지 못하나, 성매매라는 제도 안에서 왜 서로에게 인종차별과 성차별을 일삼는가, 그런 연민의 한계에 대한 논문이었는데, 해결을 못 했으니까 역사 속으로 묻었죠."*

나는 토니 모리슨의 두 번째 소설 《술라》를 좋아한다. 이 소설은 단짝 친구 술라와 넬의 긴 우정의 시간대를 다룬다. 어른이 된 후 삶의 궤도가 달라진 두 사람이 상반된 캐릭터로 등장하는데, 섬세한 묘사와 양보 없는 전개, 선과 악의

* 오정희는 2023년 서울국제도서전에서 홍보대사로 이름을 올렸으나, 2015년 한국문화예술위원회 위원장을 맡을 당시 문학계 블랙리스트에 관여한 사실이 밝혀져 논란이 일자 홍보대사에서 물러났다. 이에 소제는 자신의 트위터에 자신이 한국문학으로 들어가는 불빛이 되어준 작가 '오정희 탈덕한다'고 밝혔다.

각축과 반전에 잔잔한 충격을 느끼며 읽었다. 잘 알려져 있다시피 토니 모리슨은 1993년에 흑인 여성으로는 처음으로 노벨문학상을 받았다. 그럴 만한 작가, 대문호 중 하나로 지나쳤던 이름이 소제의 이야기를 듣고 나니 새로이 각별한 위대함으로 다가왔다. 어느 시대나 누구를 '사람'으로 보느냐는 정치적인 주제다. 흑인은 비인간 취급을 받았고, 여성은 남성과의 종속된 관계로만 존재가 드러났다. 약자 중에 약자인 흑인 여성을 토니 모리슨은 작품에 등장시켰다. 자기 자신으로 존재하려는 욕망의 주체이자 삶의 주체로 살려냈다. 그리고 훗날 그가 남긴 문학의 유산에 힘을 얻은 한국계 미국인 퀴어 번역가 소제가 용기를 끌어올려 소수자의 목소리를 이어가기로 결심한다. 이 사실이 새삼 감격스러워 나도 모르게 내적 독백이 흘러나왔다.

'토니 모리슨 언니, 보고 계신가요?'

소제의 역습

2017년에 소제는 한국행을 준비했다. 한국문학번역원에서 전액을 지원하는 펠로우십에 합격해 기회를 얻었다. 한국어는 웬만큼 가능했다. 미국에 이민을 와서 인터넷 서핑하는 법을 배우고, 주식처럼 먹던 K-팝 영상과 팬픽으로 한국어의 감을 잃지 않았다. "좀 적당히 좋아하는 법을 모르는 과

몰입"성향이 언어 학습에 절대적으로 유리했던 거다. 걱정은 더 실존적 층위에 있었다. UC버클리 한인 퀴어는 서울에서 퀴어 번역가로 살아갈 일이 잘 그려지지 않았다. 구글에 '한국 퀴어문학'을 검색했다. 안톤 허의 에세이 〈번역 노트: 달의 자매들From the Translator: The Lunar Sorority〉이 걸렸다. "번역가가 '유명'할 수 있다면, 나는 한국문학에서 가장 유명한 게 이 번역가는 아니다. 두 번째로 유명한 사람도 아니고 세 번째로 유명한 사람도 아니다"라는 문장으로 시작하는 글이었다. 소제는 눈이 번쩍 뜨이고 마침내 웃음이 터졌다.

"뭐? 퀴어가 나 하나가 아니라 많다고?!"

소제는 안톤의 에세이를 페이스북에 올렸다. 번역가 소피 보우만이 댓글을 달았다. 한국문학번역원에 오면 친구인 안톤을 소개해 주겠다고. 2017년 8월 서울대입구역 양꼬치집에서 '진짜로' 만났다. 안톤이 맨부커 후보에 오르기 전이지만 아무려나, 소제에게는 밤하늘의 별 같은 존재였다.

"안톤이 저한테 우리가 번역가 컬렉티브 '스모킹 타이거즈'를 만들었어. 너도 들어와. 그랬는데 몸 둘 바를 모르겠는 거예요. 내가 그려왔던 공동체잖아요! 드디어! 내가 번역가 모임에 들어왔네, 나도 빨리 실력을 증명해야겠다. 일단 이 사람들을 실망시키면 안 된다고 생각했어요."

한국문학번역원에서 소제는 학업에 매진했고 어쩌다 보니 싸우는 사람이 되었다. 당시 교수는 번역 강의나 합평에서 답이 있는 것처럼 '이 문장은 이렇게 해야 된다'며 하나의 선택지로 계속 좁혀갔다. 학생 여섯 명이 숙제를 여섯 가지 버전으로 가져오는데 굳이 이 번역은 아니라며 무안을 주었다. 사람마다 취향과 의견이 있겠지만 그럴 거면 합평할 이유가 없다고 생각했다. 물론 그도 경력 초기에는 "오, ㄱㄴㄷ 교수님이 싫어하실 거야. 고치는 게 좋겠어"라고 생각했다. 하지만 이제는 "있지도 않은 포니테일을 비비 꼬면서" 속으로 묻는다. "그래서 어쩔 건데요?"(물론 지원금을 잃는다.)

출판산업은 철저하게 비즈니스 논리가 지배했다. 이익을 내기 위해서는 비용을 줄여야 하고 그것을 감당하는 건 대부분 번역가와 시의 몫이었다. 시는 번역 시장에서 팔리지 않는 철 지난 상품일 뿐이었다. 번역원도 상업성이 짙은 웹툰이나 영화 자막으로 수업의 범위를 넓혔다. 소제도 웹툰을 좋아하지만 '한국문학'번역원인데, 왜 굳이 이걸 여기서 하는지, 답답했다. 가만히 있을 수 없었다.

"시에 대한 지원을 안 해준다면 내가 시 판을 만들 거야."

번역원에 대한 반항심으로,

권위주의적 교수법에 대한 반면교사로,

무엇보다도 시 토크에 대한 목마름으로,

소제는 번역 공동체 《초과》의 론칭에 착수한다.

"바보가 되는 것과 정해진 것은 아무것도 없다는 생각을 좋아한다"고 말하는 번역가,

소제의 역습이 시작된 것이다.

한 편의 시, 열 명의 번역가

소제의 글은 인터뷰뿐만 아니라 에세이도 좋았다. 정서는 뜨겁고 메시지는 차가운 글. 언뜻 보면 소년이었다 소녀였다 하는 얼굴처럼 자꾸 쳐다보게 되는 글이다. 그중에서도 《초과》를 론칭하면서 남긴 말들은 힘이 넘치고 아름다웠다. 가령,

"자본주의는 우리가 희소성의 원칙에 얽매이길 바라고 공동체를 이루는 대신 경쟁하길 바란다."

"번역된 책이 재번역되고 재출간되려면 수십 년이 걸린다. 기후변화로 인해 지구적 재앙이 일어나기 전에 한국 시를 더 많이 읽을 수 있도록 《초과》를 만들었다."

"다른 번역가에게 혼자가 아니라는 걸 상기시켜 주고 싶었다."

"하나만 있을 때는 그 하나가 전체를 대표하게 된다." 등등.

만국의 번역가들에게 결집을 호소하는 소제의 문장은 마치 《공산당 선언》의 그것처럼 선동했다.

《초과》는 2019년 창간한 온라인 매거진이다. 한 편의 한국 시와 그에 해당하는 다수의 한영 번역, 그리고 각 번역에 대한 논평을 싣는다. 이렇게 해야만 하는 번역이 아니라 저렇게도 할 수 있는 번역을 해보면 어떨까? 하는 취지로 만

"그래서 어쩔 건데요?"

든 한영 번역가들의 놀이터로, '과도' '과잉'으로도 번역되는
영어 단어 'excess'에서 이름을 따왔다. 《초과》의 공식 트위터
계정에 한국 시를 한 편 올리면 관심 있는 사람들이 이메일
로 각자의 번역본을 보낸다. 《초과》1호 시는 진은영 시인의
〈달팽이〉. "집이 아니야 짐이야"⁴라는 라임이 화살처럼 딱
와닿아서 골랐다. 2호는 이제니 시인의 〈너울과 노을〉. 이 작
품은 《초과》를 만들기 전부터 '이거 진짜 번역 어떻게 하냐'
생각했던 시다. 위기에 닥친 번역가들이 어떻게 창의력을 발
휘하는지 궁금했다.

　　창간호에 네 명 정도 참여하리라 예측했는데 열 명의 번
역가에게 메일이 왔다. 그리고 두 번째 호에 다시 열 명. 믿
을 수 없었다. 소제는 "이 사람들이 실존 인물인지 로봇인지
확인하기 위해" 《초과》2호에서 오프라인 만남을 주선했다.

　　"이메일을 보냈죠. 서울 마포구 상암동 어느 빌딩에서
저녁 포틀럭을 할 거다, 시 한 번씩 읽을 거고, 이제니 시인
도 올 테니 다들 와라. 망해도 음식이 있으니까 사람들이 엄
청 뻘쭘해하진 않을 것 같아서요. 일단 한 번씩 돌아가며 시
읽기, 그리고 서로 칭찬하기가 있었죠. '너 그 번역 너무 좋
았어, 이 부분 좋았어'부터 시작해서 '너 트위터에서 봤어'까
지. 자연스럽게 사람들이 친해지는 걸 목격했어요. 너무 힘
들었지만 그만큼 재밌었어요. 탄력도 받고 압박도 받았죠.
언제 또 하냐고."

헐뜯지 않기

《초과》는 단지 번역 시들의 나열이 아니다. 각 번역의 의미와 흐름이 흩어지지 않도록 편집장 소제의 논평이 중심을 잡아준다. 신진 번역가의 경우 자신의 번역물이 마치 허공에 소리를 지르는 것처럼 느껴질 것을 누구보다 잘 알기에 소제는 '메아리'가 되어주기로 했다. "돈도 명예도 줄 수 없지만, 관심은 나눌 수 있다"는 취지다. 그러나 남의 글에 대해 얘기하는 것은 자칫 남의 삶에 대해 평가하는 것처럼 들리기 쉽다. 논평에 고도의 섬세함과 지성을 발휘해야 하는 이유다.

소제는 이런 원칙을 세웠다.

"헐뜯지 않기. '이것도 번역이야?' 이런 말 하지 않기. 어떤 말도 가시처럼 느껴지지 않도록 조심해요. 《초과》는 원본을 손상하지 않는 한 다른 관점을 허용해요. 시는 매우 다양한 방식으로 읽을 수 있다, 그게 시의 목적이잖아요? 각 언어의 다층적 의미를 허용해요. 그렇지만 제 기준을 없앨 수는 없고, 같은 감정이라도 다르게 표현을 하죠. 이 번역은 '이런 단어 선택에서 과감하다'고 한다면 그 이유나 증거를 대줘요. 이 단어 선택을 다른 사람들의 단어 선택과 비교하고, 누가 제일 잘했다는 느낌을 없애려고 해요."

소제가 말한 합평 이야기에 크게 공감했다. 나도 글쓰기 수업을 진행하다 보니 더 와닿은 부분이다. 합평은 하는 사람도 받는 사람도 고도의 긴장을 유발한다. 글이 늘려면 적절한 비판과 정확한 칭찬이 고루 필요하다. 문제는 내용보다 방식이다. 어떻게 말하느냐. 말하는 사람이 찌르기보다 듣는 사람이 찔려야 한다. 쓴 사람은 그렇게 쓸 수밖에 없어서 쓴 것이고, 글은 금방 바뀌지 않는다. 그래서 나는 비판을 하기보다 질문을 건넨다. 글에서 잘 모르겠는 부분, 이상한 부분, 아쉬운 부분에 대해 물어보면 필자가 답을 하는 과정에서 더 깊은 이야기가 나온다. 글쓰기의 실마리가 풀리기도 한다. 그러면 성공이다. 자기 내면에 집중하게 하는 일, 자기 목소리를 찾아주는 일, 그것이 합평의 역할이니까.

나는 소제에게 합평 방법을 배우고 싶어서 아쉬운 번역에 대한 의견은 어떻게 전달하는지 물어보았다.

"그럴 때는 패턴으로 보려고 해요. 좋고 나쁨보다는 열 명은 이 단어를 골랐구나, 이런 식으로요. 맞고 틀림을 판단하는 것은 제 몫이 아니라고 생각해요. 제 마음에는 안 들어도 여러 명이 그런 번역을 선택했다면 무슨 이유가 있을 것이다. 그 이유를 마음속으로 궁리하죠.

그래서 목차 편집이 제일 오래 걸리는데, 독자 입장에서 계속 생각해요. 같은 시의 번역이 계속 있으면 지루하고 헷갈리잖아요. 각각의 번역이 뭐가 다른지 모르겠고 틀린 그림 찾기처럼 될 수 있으니까 그 피로함을 없애려고 최대한 노력하죠."

소제는 매번 심혈을 기울여 의미를 추출했다. 시도 정답이 없는데 번역도 정답이 없고, 두 정답 없음으로 말의 흐름을 만드는 일은, 자신도 모르는 사이 번역 공부의 심화 학습 시간이 되었다. 그랬던 경험이 "번역 작업을 할 때 무의식에 든 의식에든 들어온다".

남을 위하는 일이 나를 위하는 일이 되는 사랑의 순환 구조가 만들어진 것이다.

공동체는 케미

《초과》는 기존의 문학 권력에 반하는 기획이자 참신한 실험이었다. 소제는 계급적 각성이나 무거운 이념의 갑옷을 두른 옛날 방식이 아닌 코믹적인 지향을 하나의 실체로 구현했다. 나는 그 점이 참 놀라웠다. 그래서 진지하게 물어보았다.

"소제에게 체화된 것처럼 보이는 경쟁과 독점을 거부하는 반체제적인 감각은 언제부터 어떻게 길러진 건가요?"

"저는 꾸준히 반사회적인 인물이었던 것 같아요. 농담이고요. 앞에 말씀드린 1920년대 뉴욕에서 활동한 '할렘 르네상스' 작품을 학부 때 처음 읽었고 그걸 배우면서 공동체의 중요성을 느꼈어요. 무언가를 이겨내려면 그 힘은 공동체에서 온다."

"와…… 방금 그 말은 받아 적고 싶어요. 무언가를 이겨내려면 그 힘은 공동체에서 온다."

"어렸을 때는 확실히 판타지가 있었죠. '선택된 가족'(생물학적으로 관련이 없는 사람들이 지속적인 사회적 지원을 제공하기 위해 설립한 집단) 같은 이상적인 공동체에 대한 갈망이 정치적으로도 감성적으로도 있었죠. 그렇지만 저는 '우리가 번역가 모임을 만들 거야' 이런 거에는 알레르기가 있어요. '우리는 공동체야' 이렇게 공지할 수는 없다고 생각해요. 공동체는 케미스트리가 중요하기 때문에, 운이 필요한 것 같아요. 《초과》는 어떤 문학적 실험이었고 반응이 좋았다고 생각해요."

현재 《초과》는 시즌 1을 마친 상태다. 1호에는 열 편의 번역 시를 받았는데 12호에는 스물여섯 편으로 늘었다. 소제 입장에서는 열 편 정도면 각 특징을 기억하는데 무리가 없지만 스무 편이 넘으니까 감당이 안 되었다. 스물여섯 편 중에서 열 편을 뽑는다면, 소제가 제일 기피하는 권위적인 방식이 되어버리고, 스물여섯 명으로 계속 유지하기는 어렵고 그래서 고민 끝에 휴간했다. 초심을 지키는 리론칭 방법을 모색 중이다. 서로 코멘트를 달아주는 기능이 핵심인 상호 참여적인 웹사이트 제작을 위해 개발자들과 미팅을 한 상태다. 이걸 실현시키려면 기술과 자본이 따라줘야 하는 상황. 소제는 말했다.

"기적 같은 무언가를 기다리고 있어요."

도착어와 출발어

소제는 여름날의 인터뷰를 마치고 미국으로 돌아갔다. 뉴욕에 있는 **MFA**(Master of Fine Arts) 문예창작학과에서 시 창작을 공부하는 중이다. 연말에 두 번째 인터뷰를 위해 줌 화면으로 다시 만난 소제는 "잠자는 한국어 뇌를 일깨우기 위해" 유튜브를 열심히 봤는데 말이 잘 나올지 모르겠다며 멋쩍게 웃었다.

맞다, 그랬다. 소제는 한국에서 나고 자란 모국어 생활자처럼 '스피킹'이 매우 자연스러웠다. 원래는 집에서 부모님하고만 한국어로 대화하다 보니 경상도 사투리가 더해진 교포 억양이 심했는데, 한국문학번역원에 다닐 때 교정했다고 한다.

이유는, 그놈의 사랑이지 뭐.

"번역을 하다 보면 작가들을 만날 기회가 오는데 말이 어눌하면 아무리 번역을 잘해도 실력을 의심할 것 같아서 고치려고 엄청 노력했어요. 좋아하는 인물을 위해 많은 기술을 배우죠. 저는 번역도 덕질의 연장이라고 생각해요. 수많은 작가 중에 내가 깊이 존경하고 찬양하는 분을 선택하고, 자랑하고 싶은 작품을 번역하는 거니까 망치고 싶지 않아요. 그게 핵심이에요."

'번역도 덕질'이 아니라 '덕질로 번역의 품질을 높이는' 사람, 본토 한국어를 구사하던 야무지고 빈틈없는 소제의 발음은 아슬아슬하게 살아 있었다.

먼저 뉴욕 생활의 근황을 들려주었다.

"미국에서 한번 더 혼란을 느끼고 있어요. 뉴욕에서 다양성을 경험하는 건 당연한 일이지만 시를 쓰는 이유, 시를 쓰는 방법이 다 다른 사람들을 만나니까 그 사이에서 제가 하고 싶은 거를 딱 정하는 게 좀 섣부르게 느껴져요. 일상에서 확실히 특별한 경험은 하죠. 오자마자 유명한 시인 존 야우John Yau를 만났어요. 또 유명한 시인이자 번역가인 포레스트 겐더Forrest Gander를 우연히 갤러리에서 마주쳤고요. 이 모든 자극들이 당황스러워요. 많이 읽고 많이 느끼면서 잘 쓰려고 하는데 잘되고 있는지는 모르겠어요. 학기 도중에는 별로 번역을 못 했고 방학이라서 이번에 몰아서 하고 있어요. 처음에는 좀 두려웠어요. 모든 감각들이 감퇴했더라고요. 그런데 허수경 시인의 시집을 막상 하니까 너무 다행인 거예요. 제 정체성을 다시 찾은 것 같아요. 전율! 딱 됐을 때의 익숙한 전율!"

소제에게 번역은 가장 친밀한 읽기 행위다. 특히 시 번역을 좋아하는 이유는 "시가 정답에 저항하는 장르"이기 때문이다. 한영 번역의 어려움은 크다. 한국어는 대명사 삭제, 존칭 사용, 복수 표시 생략, 교착어, 미괄식 구조, 주어—목적어—동사 어순의 언어다. 모든 것이 영어와 다르다. "행으로 나누어 이어지는 것은 작은 기적이다." 그럼에도 소제는 동

료 번역가들에게 '도착어와 출발어 둘 다를 이해한다'는 칭
찬을 받는다.

나를 함께 쓴 남자들

소제는 자신만의 번역 비법을 공개했다. 어조 살리기,
패턴 분석, 모호한 부분 보존하기.

"번역할 때 시의 어조를 살리려고 하죠. 성대모사처럼
그 작가의 목소리를 만드는 거예요. 작가의 인터뷰나 자료를
많이 검색하고 특히 영상을 찾아봐요. 목소리가 너무 궁금해
서요. 말투, 속도, 그리고 사람마다 반복하는 단어들이 있어
요. 논문 쓸 때 도서관을 파헤치면서 오정희 소설가의 작품
을 읽었거든요. 그때 작품에서 '끓어오르다'라는 표현이 많
이 보였어요. 이혜미 시인은 '일렁이는'이나 '빛나는' 같은
단어를 자주 써요. 작가마다 본인이 읽는 책의 종류나 나이
에 따라 쓰는 단어들이 달라요. 이렇게 덕후의 마음으로 다
가가는 패턴 분석이 번역에 도움이 돼요. 한 편씩 하는 거보
다 한 권을 다 번역하는 경험이 정말 소중해요. 어떻게 시들
이 연결됐는지 보면서 많이 배우거든요.

그리고 여러 겹을 느낄 수 있는가를 중요시해요. 이렇게
도 읽힐 수 있고 저렇게도 읽힐 수 있는 가능성을 열어두죠.
시에서 모호한 부분을 잘 보존하는 거예요. 어떤 경우에는

모호함을 살리려다가 시의 중심을 잃기도 해요. 근데 말장난이나 중의적인 표현같이 어려운 부분에 대해서는 번역가마다 의견이 달라요. 안톤은 번역가가 어려운 걸 풀어주어야된다고 말해요. 그걸 쉽게 해석하지 않으면 번역가가 나태한거라고요. 저는 해석을 못하는 게 아니에요. 번역을 통해 답안지를 만들고 싶지 않아요."

"근데 보존이 잘된 건지 판단해야 하잖아요. 소제는 번역을 언제 끝내요?"

"번역을 끝낼 시점에 스스로 질문해요. '모기를 보여주려고 너무 욕심부리지 않았는가?' 또 반대로 '시도하기 두려워서 움찔거리는 지점이 있었나?' 하고요. 욕심냈는가, 몸을 사렸는가. 그 중간을 항상 주시하죠. 균형이 중요한 것 같아요."

그래도 번역이 막힐 때는 창작자에게 메일을 보낸다. 소제는 이혜미 시인의 시집 《뜻밖의 바닐라》를 번역할 때 시인과 스무 통의 메일을 주고받기도 했다.

"한국어 문장을 이렇게도 저렇게도 표현할 수 있을 때두 가지 옵션의 장단점이 있죠. 그걸 뚜렷하게 아는 방법이 영어로 번역한 시를 다시 한국어로 번역해 보는 거예요. 〈나를 함께 쓴 남자들〉이라는 이소호 시인의 시가 있어요. '쓰다'가 중의적 표현이죠. '사용하다'와 '글을 쓰다'. 영어로 여러 옵션을 만들어보고 그걸 다시 한국어로 돌려보면 명백해져요. '사용한' 건지 '글을 쓴' 건지. 이메일로 작가와 소통할 때가 너무 좋아요. 제가 작가님에게 이런 방향이 있고 저런 방향이 있는데 작가님은 뭐가 더 나은지 물어보죠. 이소호 작가님이 '사용하다'와 '글 쓰다' 둘 다 원하셔서, 'Written and Ridden'이라고 했어요. 'Ridden'은 '타다'라는 성적인 의미도 있어서 일종의 라임으로 'Written and Ridden(리튼 앤드 리든)'. 아니면 작가님이 동사 중에서 고르셔도 된다고 말씀 드리고 작가님 의견을 들었죠. 작가님이 좋아하는 옵션이 있었는데, 제 마음대로 했어요. 'Every Man Who Has Ridden and Written Me'라고요. 원래 작가님의 말을 수용하는 편인데 이 시는 거의 유일하게 어겼던 기억이 나요."

스스로 설명하지 않는 작가

소제가 생각하는 좋은 번역은 작가의 스타일을 살리는 것이다. 그래서 번역을 통해 자신을 과도하게 표현하려고 하지 않는다. 하고 싶은 말이 있다면 창작을 따로 하면 된다는 입장이다. 그런데 번역한 작가들 목록이 쌓이니까 고민이 생겼다.

"제가 번역했기 때문에 이 시인이랑 저 시인이랑 비교되겠구나, 너무 비슷하게 번역하고 있는 건 아닌가. 예를 들어 김언희 시인이랑 허수경 시인이랑 목소리가 다르니까 그걸 영어에서도 반영시키려고 해요. 쉼표나 대문자 사용 등 작가마다 특징을 달리해요. 근데 번역하는 작가가 쌓일수록

목소리의 차이를 구현하는 일을 지금처럼 유지하지는 못하겠죠. 저는 개성이 뚜렷한 시인을 좋아해서 여태까지는 괜찮았던 것 같아요."

소제가 좋아하는 시편들, 고심해서 목소리를 구현한 한국문학은 영어권 독자에게 어떻게 다가가고 있을까.

"한국 사회에서는 작가들이 스스로 한국인임을 자각하고 쓰진 않아요. 나는 세계인과 어떻게 다른가, 보다는 그냥 한국 사회 안에서 서로가 어떻게 다른가를 고려하고, 번역가로서 그걸 다른 맥락으로 옮겨요. 예를 들어, 영국 독자가 한국 문화에 관심이 있어서 《뜻밖의 바닐라》를 읽어도 거기에 딱히 한국 사회에 대한 묘사는 없어요. 시인이 한국인이고 한국의 젠더적 맥락은 보이지만 역사적인 정보를 얻을 수는 없죠. 저는 오히려 그런 작품을 좋아해요. 문화적 색깔이 없는 걸 선호한다기보다 스스로를 설명하지 않으려는 작가가 좋아요.

아시아계 미국인이나 아시아계 영국인 시인들이 이 부분을 크게 고민하는 것 같아요. 본인들은 다문화사회에서 자라서 백인들이 어떻게 자기를 바라보는지 아니까 글을 쓸 때도 '동양인이니까 이런 시를 기대하겠지' 하는 게 좀 있나 봐요. 그래서 오히려 아시아인이지만 그 부분을 딱히 드러내지 않으려는 작가를 만나니까 신선하다, 해방감을 느낀다고 말해요.

저도 미국에서 시인으로서 시를 쓰고 있는데, 한국어로도 영어로도 이런 시를 쓰지는 않을 것 같아요. 예를 들어 '어

렸을 때 엄마가 점심에 한국 음식을 싸 줘서 애들이 놀렸어'
같은 글이요. 그런 식의 글이 한참 유행했죠. 요즘은 진짜 뉴
욕에서 매주 똑같은 대화를 하게 돼요. 다들 만나면 《H마트
에서 울다》, 《파친코》 같은 아시아계 작가들, 특히 교포들이
인기를 얻으니까 똑같은 질문과 똑같은 비판을 내놓아요. 어
쨌든 요즘 시에 대한 고민이 많아지는 이유 중 하나예요."

언어 뚫기

시를 배우러 와서 시에 대한 확신이 아니라 혼란만 커져
가서 당혹스럽다는 소제. 시인으로서의 세계관이 궁금했다.
그는 왜 쓰는가.

"작가는 세상을 향해 짖는 사람이라는 말이 있는데, 소
제는 시인으로서 세상에 전하고 싶은 이야기가 뭐예요?"

"저도 제가 쓰고 싶은 글이 궁금해요.(웃음) 음, 갑자기
생각나는 동사는 '뚫는다'예요. 조용하게 뚫고 싶어요. 머리
를 뚫는 것처럼 손으로 매듭짓는 느낌. 이번 학기에 교수님
이 주신 주제가 되게 열려 있었어요. 예를 들어 첫 번째 주에
는 반복을 사용하는 시를 써라, 싫으면 안 해도 된다. 그렇게
아무거나 쓰는 연습을 시키는데, 영시는 소네트 같은 형식이
있잖아요. 저는 형식으로 시를 쓸 생각을 한 번도 안 했어요.
그게 낡은 것 같았는데 학교에 왔으니까 시키는 대로 해보고

있어요. 재밌는 퍼즐 같고 번역처럼 뭔가를 맞춰가는 느낌이 들어요. 꼭 다루고 싶은 주제는 아직 딱히 없는 것 같아요. 알맹이가 없는 것 같아서 자아 성찰을 더 하고 글을 쓰고 싶어요."

"좋은 자세 같아요. 저도 인격적 성숙이 좋은 글을 낳는다고 생각하지만 자아 완성을 기다리다 보면 글쓰기가 영원히 유예되지 않을까요."

"저한테 작가의 기준은 좀 높아요. 저는 이미 쓴 글도 절대 못 열어요. 되게 괴로워요. 예전 번역들도 다시 보면 괴로운데 제 글은 더더욱 그렇죠. 주변 작가들한테 물어봤어요. 예전에 썼던 글이 후회되면 어떡하냐고. 다들 비슷하게 그거를 발판 삼아 더 좋은 글을 계속 써나가고 갱신하는 게 중요하다고 해요. 요즘 낭독회를 많이 가려고 해요. 뉴욕의 낭독회는 훨씬 캐주얼하거든요. 한국에서는 보통 사회자가 있고 격식을 차리는 자리잖아요. 뉴욕에서는 야외에서 노래방 마이크 들고 할 때도 있어요. 그런 분위기를 좋아하지만, 좀 이상한 시를 들을 때도 있어요."

"저런 시는 안 쓰고 싶다는 생각이 드는 건가요?"

"네. 내 자신에 취해서 쓰고 싶지는 않다는 걱정은 있죠."

그래픽 전기 《나, 버지니아 울프》에는 버지니아가 자신의 글에 확신을 갖지 못하고 불안에 떠는 장면이 자주 묘사된다. 자다가 벌떡 일어나서 "내가 무엇을 쓴 거지?" "별로 잘 쓰지 못했어"라고 외친다. 책이 출판되는 것에 두려움을 느끼고 "사람들은 뭐라고 할까?" "나는 재능이 없어!"라며 두 손으로 머리를 부여잡는다. 배우자에게 원고 뭉치를 내밀며 "전부 그냥 죽은 고양이처럼 태워줘요!"[5]라고 말하기도 한다. 《자기만의 방》으로 성공을 거둔 이후의 모습이다. 그리고 그 유명한 "여성이 글을 쓰려면 자기만의 방을 가져야 합니다" 문장 다음엔 이런 글이 이어진다.

"자신이 쓰고 싶은 글을 쓰세요. 그보다 더 중요한 것은 없습니다. 그 글이 영원히 기억될 가치를 가질 것인지, 단 몇 시간 만에 잊힐 만한 것인지는 그 누구도 알 수 없습니다."[6]

나는 어서 소제의 글을 보고 싶다. 창작에 대한 남다른 열정과 자기 의심을 뚫고 세상에 나온 책을 만지고 싶다. 그에게 어서 번역을 마치고 시든 산문이든 글을 써달라고 요청했다. 그랬더니 소제는 예의 그 불안하고도 장난기 어린 눈빛으로 정말이냐고 몇 번이나 확인하려 들었다.

"존 야우 선생님께서 심지어 제 친구한테 연락해서 '소제 왜 나한테 시 안 보내냐'고 하셨대요. 제 상담 선생님하고도 얘기하는 주제인데, 무슨 일인지 제가 이런 엄청난 분들을 속인 것 같다고, 왜 계속 도움을 주시는지 모르겠다는 얘기를 자주 해요. 제 인생의 모든 사람들이 저한테 글을 내놓으라고 해요. 저를 찾는 사람들이 있다는 게 매일매일 너무 신기합니다."

승미

— 고요서사에서

우리는 잃고, 잃는 속에서 얻습니다.[1]

—엘렌 식수

동화가 잘되는 편

2022년 1월, 〈교도통신〉과 진행한 한국문학 번역가 승미의 인터뷰 내용은 이렇게 시작한다.

최근 10년 사이 일본에서도 널리 소개되기 시작한 한국문학.《82년생 김지영》과 같은 베스트셀러가 탄생하는 등 한국문학 붐은 이어지고 있다. 한국 출신의 번역가 승미 씨(35)는 그런 활황을 지탱하는 번역가 중 한 명이다. 작품에 공통적으로 드러나는 특징은 "지금 생각해야 할 문제와 에너지가 담긴 작품"이라고 말한다.

부산에서 태어나 고등학교 시절까지 보냈다. 어릴 적부터 일본 애니메이션 및 아이돌 문화를 접해왔고, 광고 공부를 하기 위해 2005년에 일본으로 건너왔다. 어학교를 거쳐 와세다대학에 진학했다. 그곳에서 문학의 세계에 빠졌다. 강의 중 교수가 문학작품의 한 장면을 언급하며 벽을 보며 혼자 웃는 모습을 보고 "(문학이) 그렇게 재밌는 것이라면 나도 한번 해보자"라고 생각했다. 졸업 논문에서 다룬 것은 후루이 요시키치의 작품. 한 교수가 "유학생이 읽기에는 어려운 작품이다"라고 '도발'해 오자 분발하게 됐다고……

　신문 지면에서 밝은 미소를 발산하는 승미의 사진을 보며 나는 언뜻 생각했다. '문학 번역이 그렇게 재밌는 것인가.' 사랑이 전염될 것만 같은 얼굴이다. 사랑에 잘 빠지는 말랑말랑한 사람이지만 그 사랑을 증명하기 위해 에너지를 끌어올릴 줄 아는 근성 있는 사람, 그가 서울에 왔다. 이번 인터뷰를 위해, 또 코로나로 한동안 못 본 부모님을 만나기 위해 겸사겸사 현해탄을 건넜다. 해방촌 책방 고요서사에 먼저 도착한 그는 책방지기와 즐거이 담소를 나누고 있었다. 테이블 위에 놓여 있던 녹음기가 켜지자 그가 조심스레 말문을 열었다.

　"저 커피를 마시면서 해도 될까요?"

　"그럼요." 나는 라이브가 아니므로 편안하게 이야기 나누면 된다고 안심시켰다. 그는 긴장이 된다더니 작은 목소리로 말을 흘렸다.

　"팬이라서……."

　"저를 아세요?"

　"번역하면서 서평도 쓰거든요. 어떻게 하면 글을 잘 쓸 수 있을까 고민하다가 작가님의 글쓰기 책과 인터뷰를 찾아봤어요. '글쓰기는 용기다'라는 말이 인상 깊게 남아 있어서

담대한 마음으로 쓰자고 항상 생각했어요."

"(고맙다는 말을 삼키며) 용기가 있어야 빤하지 않은 글, 진실한 글을 쓰는데 저도 잘 안 되더라고요."

"고등학교 때 '독서'라는 과목이 있었어요. 매달 독서 감상문을 썼는데 제 글을 선생님이 좋아하셨고 문집에도 실렸어요. 어느 정도 자신이 찼을 때 교내 백일장에서 제 이야기를 썼어요. 근데 한 선생님이 수상자를 발표하면서 '문집은 모든 사람이 읽는 글이다. 자기 이야기를 굉장히 잘 써준 사람이 있는데 그건 공개하면 안 되는 글이다' 이렇게 말하셔서 그때 '내 이야기를 글로 쓰면 안 되는구나' 하고 생각했어요."

"저는 정반대 이야기를 했네요. 자신의 이야기를 써라."

"그때 되게 큰 힘을 얻었어요. 고백이었습니다!(웃음)"

보아와 김응교

승미는 사람에게 영향받는 사람이다. 자기 이야기를 쓰면 안 된다는 교사의 말도, 자기 이야기를 쓰라는 작가의 말도 곧이곧대로 따랐다. 중학생 때는 가수 보아였다. 1986년생 동갑내기 가수가 열다섯의 나이에 일본에서 일본어로 활동하고 1위까지 하는 모습이 대단하게 느껴졌다. 나도 보아처럼 언젠가 언어를 배워서 무언가를 해보고 싶다고 막연하게 생각했다. 고등학교의 제2외국어가 일본어였고, 방에는 오빠가 보던 일본 만화책이 굴러다녔다. 부산에서 나고 자란 승미에게 일본은 "너무 멀지 않은 나라"였다.

대학교 1학년 1학기를 마치고 반수를 했다가 이전과 비슷한 성적이 나와서 좌절하고 있을 때, 외국 어학원으로 나가는 친구를 보았다. 그렇지! 그에겐 보아처럼 국경을 넘는 선택지가 있었다. 어학원에서 3개월 정도 공부해 볼 요량으로 2005년에 일본으로 떠났는데, 그 3개월이 길어져서 어느덧 20년을 바라본다.

승미는 2007년에 와세다대학 문화구상학부에 들어갔다.

"입학했을 때만 해도 광고를 하고 싶었어요. 우연히 책에서 광고 공모전에 응모해 받은 경품으로 생계를 이어온 할머니 이야기를 읽었는데 자기 아이디어로 뭔가를 창조해서 삶을 살아가는 게 멋져 보였어요. 나한테 기발한 아이디어는 없을 것 같고 사람을 좋아하니까 다양한 사람과 협업하는 광고기획자가 잘 맞을 것 같았죠. 근데 1학년 때 러시아문학 수업에서 선생님이 고골 이야기를 하면서 혼자 막 웃으시는 거예요. 고골의 소설에서 코가 돌아다니고, 카프카의 소설에서 그레고리 잠자가 갑자기 벌레가 되는데 왜 벌레가 됐는지는 몰라! 그런 이야기를 하는데 너무 좋아하며 말씀하시는 거예요. '문학이 저렇게 재밌는 건가. 저렇게 재밌는 거라면 나도 한번 해보고 싶다'고 그때 처음 생각했어요."

승미는 일본 현대문학 비평으로 공부 방향을 잡았다. 문학을 전공하다 보니 교수들은 한국 유학생인 그에게 관심을 보이며 한국문학에 대해 이것저것 물어보았다. 대답은 궁하고 모른다고 하기는 창피했던 그는 와세다대학에 객원교수로 있던 김응교의 한국문학 수업을 들었다.

"김응교 선생님이 너무 좋았어요. 문학에 대한 애정도 그렇고. 수업과 별개로 '전시회 간다. 다 모여라!' 이러면 선생님이랑 친분 있는 사람들이 전부 모여서 전시회를 돌아다녔어요. 대장처럼 다 거느리고 다니셨어요.(웃음) 그래서 한국문학 하면 지금도 '한국문학=김응교=따뜻하다'는 이미지가 자동으로 연상돼요. 김응교 선생님이 백석 시인과 윤동주 시인, 김수영 시인을 엄청 사랑하세요. 이렇게 좋은 선생님이 사랑하는 시인은 도대체 어떤 사람들일까? 잘 읽어보고 싶었죠."

어느 날 김응교는 학생들과 어울리는 자리에서 말했다. "승미, 정말 좋은 번역가가 되길 바라." 무엇 때문에 나왔는지 앞뒤 맥락은 지워지고 그 말만 또렷하게 남아서 영향력을 행사했다. 승미는 그때부터 번역가가 직업이 될 수 있다, 내가 번역을 할 수도 있다는 것을 진지하게 고려했다. 한번은 일본에 온 신경숙 작가를 보러 갔다. 그날 행사에서 통역을 맡은 사람은 한강의 《채식주의자》를 번역한 김훈아 번역가였다. 승미는 소설가보다 번역가에게 마음을 빼앗겼다. 내면에 조용한 열망이 움트는 걸 느꼈다.

'저런 사람이 되어야겠다. 저분 너무 멋있다⋯⋯.'

승미의 서랍

마침내 통역가의 의자에 앉았다. 2013년 7월 도쿄국제
도서전에 소설가 이승우가 왔을 때를 시작으로, 이후에도
'일본 현대문학 전공자인 한국 유학생' 승미에게 통역의 기
회가 종종 찾아왔다. 번역 일은 그가 먼저 찾아 나섰다. 일본
의 권위 있는 문학상인 나오키상 수상 작가 나카지마 교코의
《어쩌다 대가족, 오늘만은 무사히!》가 아직 한국에 소개되지
않은 사실을 알고, 출판사에 기획서를 제출해 번역을 성사시
켰다. 첫 번역은 그에게 교훈을 남겼다.

"한국어를 말할 수 있다고 해서 번역할 수 있는 게 아니
구나, 뼈저리게 깨달았죠."

"어떤 점이 가장 어려웠어요?"

"소설에는 인칭이나 문체 같은 형식이 있잖아요. 그걸
한국어로 구현하기가 쉽지 않았어요. 학부 때 담당 교수님께
서 '본인의 서랍을 많이 준비해 둬라. 나중에 꺼내 볼 수 있
도록 많이 보고 저장해 둬라'고 하셨는데 그 이유를 알겠더
라고요. 소설에 오사카 사투리를 부산 말로 번역한 부분이
있어요. 제가 부산 출신이라서 부산 사투리를 잘 안다고 생
각했는데 글로 쓰는 건 또 다르더라고요. 내가 빈약하구나,

"용기가 있어야 빤하지 않은 글,
진실한 글을 쓰는데 저도 잘 안 되더라고요."

"'글쓰기는 용기다'라는 말이 인상 깊게 남아 있어서
담대한 마음으로 쓰자고 항상 생각했어요."

서랍을 열어봤는데 아무것도 없었어요.(웃음)"

"서랍부터 채워야겠네요.(웃음) 뭐부터 넣어야 할까요?"

"여러 사람의 말이요. 글로 캐릭터를 구현해 내는 방법을 잘 익혀야겠다. 그러려면 사람 말을 굉장히 많이 들어야겠더라고요. 작가님들이 카페에 가서 사람들 대화에 귀기울인다고 하잖아요. 아, 나가야 되겠구나! 제가 처음 번역한 작품이 연작소설식이라 30대 젊은 여성, 60대 할머니 등 주인공이 다 달라요. 등장인물이 대사와 묘사로 구별이 되어야지, 전부 다 제가 되면 안 되잖아요. 그게 큰 훈련이 됐어요."

나는 '번역가의 서랍'이 어떻게 채워졌는지 상세히 듣고 싶었다. 더 나은 번역가가 되기 위해 승미가 어떤 노력을 기울였는지.

우선 분석하기. 한국어 원문과 일본어 번역을 비교 분석한다. 아무래도 번역가는 첫 부분에 제일 힘을 많이 쓰니까 앞부분부터 대여섯 장 정도를 중점적으로 살핀다. 이런 문장은 이렇게 살리는구나, 예시를 모은다.

그리고, 어휘력 늘리기. 분석 과정에서 못 보거나 놓친 단어를 추린다. 또 누가 모르는 단어를 말하면 바로 휴대폰에 메모한다. 남편이나 친한 일본인에게 내가 모를 것 같은 단어를 말해달라고 요청한다. 어휘 서랍을 채운다.

그다음, 낭독하기. 번역하다가 리듬이 막힐 때는 일본 작가의 책을 낭독한다. 이를테면 호리에 도시유키라는 작가의 소설은 복잡한 구조에 비해 문장이 매끄럽게 읽힌다. 동그라미를 쳐가며 여러 차례 읽어본다. 잘 읽히는 글의 리듬을 몸에 저장한다.

마지막으로, 내용과 형식 살펴보기. 언어에는 무엇을 쓰는가 하는 내용적인 측면과 그것을 어떻게 쓰는가 하는 형식적인 측면이 있다. 같은 내용을 쓰더라도 쓰는 방식에 따라 효과가 달라진다. 승미는 내용뿐 아니라 내용에 맞는 형식을 찾을 수 있도록 작품 분석에 많은 시간을 할애한다.

3.11이라는 단절

2011년은 승미의 삶에 긴 우기가 시작된 해다.

그가 와세다대학 대학원 문학연구과에 진학한 그해, 그러니까 2011년 3월 11일 오후 2시 46분 동일본 대지진이 일어났다. 일본 관측 이래 최대 규모인 9.0 지진이 동부 해안을 강타했다. 대지진은 쓰나미를 불렀고 쓰나미로 후쿠시마 원자력발전소가 폭발해 방사능이 누출됐다. 사상자만 1만 8000명이 발생한 이 사상 초유의 자연재해를 승미는 도쿄에서 실시간으로 지켜보았다.

"그때 어학원에서 알바를 했어요. 다음 날부터 한국 학생들이 몰려와서 지금 당장 한국에 들어가야겠으니 티켓을 끊어달라, 중국 유학생들도 자기 나라로 돌아가겠다고 아우

성쳤어요. 그래서 매표 업무를 했어요. '그래, 다들 걱정이 되겠지' 하고 생각하면서 남 일처럼 보냈죠. 근데 퇴근길에 어떤 직원이 갑자기 '근데 우리는 괜찮을까요?' 하고 물어보는데, 저 사람들도 불안한 마음으로 하루를 보냈구나, 지금 내가 괜찮다고 하지만 괜찮지 않을 수 있겠다는 생각이 그때든 것 같아요. 실은 그날 오후에 친구가 교토로 잠시 피난을 갈 건데 같이 가지 않겠냐고 연락이 왔어요. 저는 안 간다고 했었거든요. 근데 집에 왔는데 네이버 뉴스에 '일본 리미트 72시간' 막 이런 기사가 뜨는 거예요."

"지구 종말처럼."

"네. 갑자기 눈앞에 버섯구름이 보이고요, 당장 죽을지도 모른다는 생각이 들었어요. 가방 안에 수건이랑 노트북을 챙겨서 일단 집을 나왔어요. 지하철을 탔는데 어떤 사람이 카트에다가 TV를 싣고 가는 거예요. 지금 생각해 보면 TV만 가지고 피난을 간다는 게 이상한데, 그때는 저 사람도 피난을 간다고 생각했어요. 어서 도쿄를 빠져나가야겠다고 생각하면서 역으로 갔는데 신칸센 운행이 끝났더라고요. 지인의 집으로 갔다가 친구가 있는 교토로 넘어갔죠."

3.11 동일본 대지진은 승미가 지탱해 온 삶에 대한 신뢰도 무너뜨렸다.

"그날 이후로 다 거짓말 같았어요. 제가 쓴 글이 거짓말처럼 느껴지고, 이게 다 무슨 의미가 있나 싶고, 믿을 만한 게 없다는 생각이 들었어요."

나는 세월호 사건이 일어났을 때 '재난 이후의 삶'을 어떻게 살아야 할지 모르겠다는 무력감과 불안감 속에서 책에 파고들었다. 그때 일본 철학자 사사키 아타루가 쓴 책들을 읽었다.《이 치열한 무력을》에서 두 가지 메시지가 인상 깊었다. 3.11 '이후'를 묻는 말에 그는 이렇게 일갈했다. "3.11 이후라는 것도 엉터리입니다. 지금이 무슨 일이 일어나기 '이전'이 아니라는 증거가 어디 있습니까?"[2] 정신이 번쩍 드는 말이었다. 3.11이든 4.16이든 그날 이후에도 남은 사람들은 아무렇지 않게 계속 살아가고 있다. 재난 이전과 이후가 거의 구분되지 않는 현실, 구멍 뚫린 사회가 조용히 침몰하는 "죽음의 완만함"이 어쩌면 우리가 겪는 재난이고, 공포이고, 고통인지도 모른다는 뜻이었다.

사사키 아타루는 '문학의 무력함'에 대해서도 목소리를 낸다. "'이 압도적인 현실 앞에서 문학은 무엇을 할 수 있는가?' '사상은 무엇을 할 수 있는가? 아무것도 못 한다.' 이런 말을 하는 사람은 예술이나 사상에 '권력'이 있다고, '힘이 있다'고 여긴 게 된다"고. 그런데 문학만이 아니라 과학도 지식도 애초에 모든 것이 무력하다, 책을 쓴다고 쓰나미로 죽은 사람이 돌아올 수 없다는 점에서 문학은 무력하지만 그렇다고 쓸모없는 것은 아니다, (파울 첼란이 그랬던 것처럼) 가혹한 하루하루 속에서 무언가를 쓰는 것은 가능하다며, 그는 이렇게 못 박는다. "무력하지만 무의미하지는 않습니다."[3]

어쨌거나 3.11은 승미의 삶을 침식해 들어갔다. 한번 무너진 일상은 쉽사리 회복되지 않았다. 무너진 게 곧장 회복된다면 그것은 처음부터 무너진 게 아닐 것이다. 누군가는 흔들리는 그에게 너무 생각이 많다고 했다. 그는 점점 주변에 고민을 터놓기 어려워졌다. 그나마 꾸역꾸역 읽어낸 문학이 힘이 되어주었다. 하필 그가 졸업 논문을 쓰고 대학원에서 연구를 이어간 후루이 요시키치는 어릴 때 전쟁을 경험하면서 느낀 죽음에 대한 공포를 작품에 담아내는 소설가다. 재난 이후를 살아가는 승미에게는 작품의 주인공들이 의지가 되어주었다.

"후루이 요시키치의 주인공들이 거의 비어 있어요. 대신 바깥에 있는 것들을 계속 받아들이거든요. 책의 문장이 들어오고 다른 사람의 말이 들어오고. 그들처럼 지내보는 것도 괜찮겠다, 이렇게 흔들리면서 살아 있는 지금도 나쁘지 않겠다고 생각했어요."

김금희의 위로

방황의 시간은 세월이 되었다. 그날 이후 5년 정도 지났을 즈음, 승미는 김금희의 《너무 한낮의 연애》를 만났다. 구원 같은 소설이었다. 표제작의 주인공 양희는 사회와 동떨어져 있지만 자신을 굉장히 뚜렷하게 가지고 있는 인물이다.

굳이 웃지 않고 세상과 어울리려고 하지 않으면서도 사람들과 잘 지내고, 무대에 오르는 사람들 이야기를 빈 통처럼 계속 받아들이는 점이 묘하게 위안이 됐다. 이 소설에 매료된 승미는 비로소 "비평이 아니고 번역을 할 수 있겠다"는 생각이 들었다.

"김금희 소설가의 캐릭터들이 자기 감정이나 생각을 표현하는 방식이 결코 평범하지 않아요. 문장이 시 같다는 느낌이 들기도 하고 약간 엉뚱하기도 하고요. 주인공 양희와 필용의 대화도 뭔가 맞는 것 같은데 안 맞고 그런 부분들이 너무 좋으면서도 살리기가 어려웠어요. 예를 들어서 '활동하는 물체의 운동감'이라는 표현이 있어요. 막막할 때는 먼저 일본어로 그려봐요. 쉽게 푼 거, 덜 쉽게 푼 거, 안 쉽게 푼 거. 순서대로 여러 버전을 놓고 마지막까지 고민하다가 정해요."

승미는 한국인 한일 번역가로서의 고민을 토로했다.

"한국문학이 아직 일본에서 활성화되지 않은 시기라서 편집자는 문장이 쉽게 읽혀야 한다는 입장이었어요. 모서리를 깎아서 둥글게 둥글게 표현하자고 했죠. 조언대로 수정해서 교정지를 받았는데 너무 마음에 안 드는 거예요. 저는 독특한 인물들이 이런 현실적인 말을 쓰진 않을 거라고 생각해서 주인공의 입장에서 그 인물이 쓸 법한 단어, 말, 표현을 계속 고민하다가 모서리가 많은 채로 두기로 했어요.

이건 제가 넘어야 할 문제인데, 모국어가 일본어가 아

닌 번역자로서 매끄럽지 않은 표현을 남겼을 때, 독자가 문체의 개성이 아니라 번역의 부족함으로 생각할 수 있어요. 그게 저에 대한 평가라면 괜찮은데 작품에 대한 평가로 이어질 수 있어서 조심스럽죠. 그래서 최대한 조율하려고 노력해요."

드디어, 번역을 완수한 승미는 김금희 작가에게 소회를 담은 긴 편지를 띄웠다.

번역을 다 마치고 나니까 그동안 둥둥 떠 있던 마음이 조금 안정을 찾아가는 기분이 들었어요. 제가 하는 말이 다 무의미하게 느껴져서 사람을 만나는 것도 밖에 나가는 것도 전부 힘들었는데 이제는 사람을 만나보고 싶은 마음도 들고, 어딘가를 좀 다녀보고 싶은 마음도 들어요. 며칠을 고민했는데 어떤 시간이었는지 제대로 설명하기가 어렵네요. 그저 작가님께 감사하다는 말씀을 드리고 싶어요. 그리고 이 소설이 일본에서 또 다른 누군가에게 위로가 되었으면 하는 마음입니다.

밖으로 나온 느낌

2018년 일본에서 출판된 김금희의 《너무 한낮의 연애》로 승미는 한일 번역의 물꼬를 텄다. 이후 오사나이 소노코와 공역으로 이민경의 《우리에겐 언어가 필요하다》, 조남주

"그 소설에 매료되고 비로소
비평이 아니고 번역을 할 수 있겠다는
생각이 들었어요."

의《그녀 이름은》《우리가 쓴 것》을 번역했다. 그리고 정세랑의《옥상에서 만나요》까지 한국 페미니즘 서사의 계보를 잇는 작품을 연이어 맡았다.

"고백하건대 제가 페미니즘 작품을 번역할 거라고 생각지도 못 했어요. 왜냐하면 제가 일본 주류 남성 문학을 계속 읽어왔잖아요. 후루이 요시키치도 그렇고, 저의 대학교 지도교수인 와타나베 나오미는 제자를 성추행해서 대학에서 퇴출되었거든요. 그런 분들이 가르치는 문학이다 보니까 젠더 관점을 배울 기회가 없었고요. 한번은 페미니즘 비평 리포트를 냈는데 선생님께서 "너 페미니즘 비평 할 거야?" 그러셨어요. 그래서 저는 하면 안 되는 건가 보다 생각했었어요."

그럼에도 그가 페미니즘 번역을 시작한 것은《우리에겐 언어가 필요하다》에 반해서다. 이 책은 '상처만 주는 대화에 지쳐버린 이들을 위한 성차별 토픽 일상 회화 실전 대응 매뉴얼'로 기획됐다. '당신에겐 대답할 의무가 없다'는 장으로 시작하는 책에서 승미는 '내가 말하고 싶지 않을 때는 말하지 않아도 된다'는 메시지가 크게 와닿았다.

"나에게 너무 좋았으니까 페미니즘을 떠나서 번역해 보고 싶었어요."

모르는 게 너무 많았던 그는 기초부터 공부해 가며 번역했고 여성주의 언어를 알아가는 희열에 힘든 줄도 몰랐다. "진짜 맞네! 그러네!" 한 줄 한 줄 맞장구치며 지난 경험을 돌아보고 재해석하는 치유의 시간이었다. 자신에게 해방감을 선물한 이 책을 승미는 어서 독자들이랑 공유하고 싶었다. 이후 여성 작가들의 첨예한 문제의식이 담긴 작품을 잇달아 번역하며, 그는 변했다.

"저라는 사람을 온전히 받아들일 수 있게 됐어요. 대학교에 들어갔을 때 저만 유학생이었어요. 제 전공이 한국으로 따지면 문예창작학과 같은 데여서 유학생이 없었거든요. 일본어가 서툰데 문학을 하는 애가 저밖에 없는 거예요. 선생님이 깍두기같이 끼워주는 느낌. 유학생 한 명 있는데 걔가 되게 빨빨거리면서 열심히 한다고 학교에 소문이 났어요. 못 섞이는 느낌, 되게 자신감이 없었어요. 내가 이 책을 온전히 읽어낼 수 있을까. 그러다가 내가 지금 할 수 있는 만큼만 받아들이자고 마음먹자, 번역하고 공부하는 과정에서 자신감이 되게 많이 붙었어요."

일본에서는 《82년생 김지영》과 거의 동시에 《우리에겐 언어가 필요하다》가 출간됐다. 독자들은 《82년생 김지영》이 질문이면 《우리에겐 언어가 필요하다》가 대답이라고 말한다. 주거니 받거니 읽으며 새로운 인식의 자양분으로 삼는다. 한국문학 중에 제일 많이 팔린 책은 단연 《82년생 김지영》. 조남주 작가가 일본에 다녀가고 꾸준한 입소문으로 독자들의 관심을 받으면서 23만 부 이상의 판매고를 올렸다. 일본에서 한국문학이 이토록 사랑받는 이유가 무엇이라고 생각하는지 물어보았다.

"한국은 사회와 문학이 깊게 관련되어 있잖아요. 개인의 문제를 사회문제와 결합시키는 쪽으로 변해갔으니까요. 대개 일본문학은 내면 이야기에 천착하거든요. 그래서 한국문학을 읽는 일본 독자들은 자기 이야기에 사회 이야기를 할 수 있고, 바깥을 볼 수 있다는 점에 흥미를 느끼는 것 같아요. 갇혀만 있다가 밖으로 나온 느낌. 그리고 위로받는다는 말을 굉장히 많이 해요. 한국문학을 읽으면서 주변에 누군가가 있다는 느낌을 받지 않았을까 생각해요. 일본의 여성 작가들도 더 목소리를 내야겠다고 생각하는 것 같고요."

등장인물과 친구 하기

승미의 원래 이름은 우승미. 진작부터 우씨 성을 떼고 싶었다. 어릴 때 외가에 놀러가면 자기만 우씨 성인 게 싫었다. 번역가로 데뷔할 때 새 이름을 지었다. 아빠 성씨인 '우'와 엄마 성씨인 '이'를 합쳐서 '위승미'로 하려다가 그건 또 무거워서 말았다. 히라가나로 '승미'라고 써보았더니 외국인인지, 한국인인지, 여자인지, 남자인지 알 수가 없었다. 그렇게 승미가 되었다.

"그런데 한국에 글을 기고할 때 '승미'라고 써서 보내도 굳이 성을 붙여서 '우승미'라고 나와요.(웃음)"

승미로 첫 번역서를 내고 4~5년이 흘렀다. 좋아하는 책을 읽고 옮기는 생활이 매일 지속된다. 그에게는 '나는 번역가'라는 자의식이 없다. 그냥 '자연의 나'로 산다. 좋은 작품을 읽고 남들과 공유하는 일을 하는 나. 번역을 하느라 깊게 읽는 시간이 주어지고 좋아하는 일을 하며 돈을 벌 수 있으니 흡족한 나. 번역의 행복을 말하는 승미에게 그거 말고 번역의 기쁨이 무엇인지 물었다. 그는 단번에 말했다. "다른 사람이 되는 것"이라고.

"저는 번역을 몸으로 하거든요. 번역하는 문장이나 대사들이 제 몸을 한번 통과해야 '딱 이거다'라는 생각이 들어요. 뭔가 연극을 하는 느낌이에요."

"몸을 통과한다는 게 어떤 건가요?"

"온전히 받아들이는 거예요. 그 마음이나 상태가 되어보려고 노력해요. 등장인물이 친구를 잃어버렸다는 깊은 상실감을 느끼면 저도 그 마음 상태가 계속돼요."

"빙의처럼?"

"네. 저는 번역하면서 대사가 입에 익을 때까지 말해보는 편이에요. 김상근 작가의 《별 낚시》라는 그림책에서 "으자자자자자" 하고 낚싯줄을 당기는 장면이 있어요. 그 부분이 너무 번역이 안 되는 거예요. 그런데 아이를 어린이집에 데려다주려고 자전거를 타다가 저도 모르게 "으자자자자자" 소리를 냈어요. 사람들이 저를 막 쳐다보고.(웃음)"

"진짜 몸으로 하시네요. 다른 사람이 되어보는 게 즐거운 일인 거죠?"

147

"네네. 너무 좋아요. 근데 너무 힘들기도 하고요."

"그 좋음은 어떤 걸까요?"

"아까도 말했지만 제가 사람을 좋아하면서도 너무 겁이 나서 잘 다가가지 않거든요. 책을 읽고 번역하고 그 캐릭터랑 같이 지내보면서 대리만족을 느낀다고 할까요. 등장인물을 알아가는 느낌이 너무 좋아요."

"책 속의 인물은 안전하니까."

"네네네."

"사람을 좋아하는데 겁이 난다는 건 어떤 마음이에요?"

"잘은 모르겠는데 늘 제가 사람들이랑 어긋나는 것 같았어요. 대화에 잘 끼지 못하고 대부분 혼자 놀았거든요. 제가 무슨 말을 하면 '쟤 썰렁해' '무슨 말 하는지 잘 모르겠어' 이런 말을 듣다 보니까 저는 어렸을 때 꿈이 다른 사람들이 가지고 있는 기준, 소위 말하는 정상성을 갖는 거였어요."

"정상성은 문학성이랑 상극인데요."

"근데 제가 ADHD가 있더라고요. 작년에 병원에 가서 검사받고 알았어요. 영화 〈벌새〉의 김보라 감독님을 인터뷰했을 때 응시의 중요성에 대한 얘기를 하셨어요. 영화에서 은희가 도망치지 않고 사물을 바라보는 것이 중요해서 응시하는 장면을 많이 넣었다고요. 저도 어릴 때부터 사람들이랑 소통이 어려웠던 부분을 떠올리고 저를 직면하는 시간을 가졌어요."

"아……."

"일과 생활에 불편함을 느껴서 병원에 한번 가볼까? 상담받고 검사했더니 ADHD더라고요."

"그때 기분이 어땠어요?"

"속이 시원했어요."

"제 친구도 최근에 검사를 했는데 ADHD 진단을 받았다면서 똑같이 말했어요. 후련하다. 원인을 알아서 좋다고요."

"제가 캐릭터에 쉽게 동화되는 것도 ADHD랑 관련이 있는 것 같아요."

"창작하는 사람에겐 좋은 점 같아요."

"저는 작품에 식물이 나오면 식물 사러 가야 해요. 식집사가 돼요. 정세랑 작가의 《지구에서 한아뿐》 번역할 때 실이야기가 나왔는데 바로 그 실을 보러 갔어요. 그러니까 남편이 살인 이야기가 나오면 어떻게 되는 거냐고.(웃음)"

"아, 안 돼요!(웃음) 근데 사람에 대한 호기심도 많고 실행력도 좋으세요."

"누군가에게 잘 동화되는 게 고민이었거든요. 제 안에 뭐가 없다고 생각했는데 그게 장점이면 장점일 수 있겠다고 생각했어요."

텅 빈 악기처럼 단어와 문장을 받아내어 울림을 만들어내는 사람, 번역가로서 최고의 강점이 아닌가 생각하는 동안 그가 중얼거리듯 말했다.

"그게 저인 것 같아요. 대신 주변에 나쁜 사람을 두지 않으려고 해요."

돌봄과 번역

승미는 종종 소설의 중간부터 번역한다. 일부러 1화는 빼놓고 2화부터 번역하는 경우도 많다. 처음에 힘이 과하게 들어가서 쓰기 시작한 방법이다. 어느 정도 문장과 이미지가 쌓이고 처음으로 들어가자 오히려 톤이 딱 맞았다. 아니면 처음부터 번역할 경우엔 교정지를 중간부터 본다. 그리고 교정지를 여러 번 볼 때, 처음에는 역순으로 보고, 다음엔 중간부터 보고, 마지막은 처음부터 보고, 이렇게 톤을 맞춘다.

"어느 한 부분에 너무 힘이 들어가지 않도록 해요. 끝으로 갈수록 힘이 빠지는 걸 방지하려고요. 제가 ADHD이다 보니까 집중력이 끝까지 못 가는 거예요. 나름 고민해서 방법을 찾았어요. 또 정세랑 작가가 무조건 시간을 정해놓고 작업한다고 해서 저도 따라 해보려고 작업실을 빌렸어요. 아이를 어린이집에 보내고 작업실에 가서 10시부터 5시까지 무조건 작업하는 편이에요. 중간에 1시간 정도는 집 근처 조류공원에서 산책하고요."

그가 문학을 공부하고 번역가로 살면서 "자신감을 회복했다" "나를 온전히 받아들이게 됐다"고 말했을 때, 나는 그 말을 의심하지는 않았지만 실감하지도 못했다. 자아의 내밀한 면모는 관계의 경험이 쌓여야 드러나니까. 그런데 그가 '나의 ADHD'에 대해 심상하게 말을 꺼낼 때 알아챘다. 이

것이 자신감이구나. 온전한 자기 수용의 멋짐이구나. 누구에게나 자신의 약한 면을 드러내는 일은 쉽지 않다. 말할 기회가 적어서 더 어렵다. 질병은 개인 탓이 아닌데도 수치심을 강요하는 사회적 분위기가 있고, 에이드리언 리치의 말대로 말하지 않는 것은 말할 수 없는 것이 된다. 그러한 완고한 통념을 사뿐히 지르밟고 승미는 말했다. 나는 그가 ADHD라서가 아니라 그것을 말하는 용기에 놀랐고, 질병과 함께 차질 없이 일하며 살아가기 위해 무엇이 필요한지, 누구를 참조해야 하는지 아는 지혜와 노력에 감탄했다. 타이밍을 놓쳤지만 승미에게 전하고 싶었다. '당신의 상태를 말해주어 고맙습니다.'

승미는 엄마다. 만 네 살 아이를 키운다. 이번 인터뷰이 중에 유일한 엄마 번역가다. 이 사실을 귀띔하자 그는 주변 번역가 중에도 애를 다 키웠다거나 아니면 어린아이를 육아하고 있는 분이 많지 않은 것 같다고 했다. 정녕 번역과 육아는 병행하기 어려운 과업인가! 나의 경험에 한정 지어 보자면, 육아는 영아기가 가장 고역이고 유아기에 접어들면서부터 차츰 숨통이 트인다. 막 지옥을 벗어나는 중인 그에게 돌봄과 작업에 대해 물었다.

"빤한 대답일 수 있는데 밥 먹이고 빨래해 주는 게 힘들지만 힘든 만큼 얻는 부분이 있어요. 어린이책을 번역할 때 아이의 감성이 굉장히 도움이 돼요. 《별 낚시》도 아이와 공역한 게 아닐까 싶을 정도예요. 제가 밤마다 아이에게 한국어 책을 일본어로 읽어줘요. 매일 밤 여러 일본어 버전으로 읽어주면서 번역 이미지를 쌓는데, 그때 아이가 '이 부분은 이게 좋아'라고 의견을 말해줘요. 실제로 아이가 이야기한 문장이 반영된 부분도 있어요."

그가 '엄마 번역가'로서 가장 중점을 두는 것은 '일할 시간 확보'다. 번역비나 원고료가 많은 편이 아닌데도 작업실을 빌린 건 그 때문. 일과 육아를 분리해서 엄마가 아닌 번역하는 사람으로서 장소와 시간을 확보하려는 의지다. 승미는 "그럼에도 불구하고 애를 키우면서 성장하는 부분이 확실히 있다"고 했다.

"애가 저랑 너무 닮았거든요. 특이한 행동을 많이 해요. 그걸 보면서 '아 내가 옛날에 저랬겠구나' 하고 되게 많이 위로받아요."

"음, (속 터지는 게 아니라) 위로요?"

"그런 아이를 제가 온전히 받아주잖아요. 그러면서 저에 대한 신뢰감이 생겼어요. 나도 괜찮은 사람이구나. 아이를 온전히 받아들이고 고민하면서 키울 수 있는 괜찮은 인간이구나 생각할 때도 있고요. 제가 어린이책과 아동문학을 많이 번역해서 아이와 또래 친구들이 공유하면 좋겠어요."

승미에게 돌봄의 시간과 번역의 시간은 이렇게 겹친다. 자신의 약함을 받아주는 시간으로, 자신을 책망했던 과거를 위로하는 시간으로.

실패하는 자신감

자신감이란 실패할지도 모르는 일을 시도하는 것이다. 승미는 몇 년 전부터 "실패하더라도 지금 할 수 있는 건 다 해보자"는 마음으로 번역에 임하고 있다. 그래서 SF 소설, 그림책, 아동문학 등 짧은 기간에 여러 장르를 번역했다. 이번엔 한국 시 번역 기회가 왔다. 한국 시 번역 프로젝트를 맡아달라는 제안이었다. 승미는 못 할 것 같다고 생각했다. 왜냐면 시는 어려우니까!

그래서 말했다. 시 번역은 못 할 것 같은데 도와드릴 일이 있으면 돕겠다고. 왜냐면 서랍 전문가니까! 도서관에 가서 자료를 찾고 수집하는 건 정말 자신 있었다. 요시카와 나기 번역가는 그렇다면 반반씩 나눠서 해보자고 했고, 승미는 고민 끝에 수락했다.

"대학원 다닐 때 시 수업이 너무 어려웠거든요."

"어떤 부분이 제일 어려웠어요?"

"어떻게 접근해야 하는지 잘 모르겠더라고요. 문학이면 내용과 형식이 있잖아요. 근데 시는 내용이 있는 것 같은데 없는 것 같기도 하고, 읽었는데 안 읽히는 거죠."

"맞아요.(웃음) 분명 활자는 읽었는데 다 빠져나가죠."

"울고 싶었어요. 시가 짧으니까 번역 자체는 금방 끝나거든요. 근데 그 번역이 맞는지 안 맞는지 이대로 좋은 건지 뭔지 모르겠어요. 그래도 소설 번역을 계속 하다 보니까 소

"그런 아이를 제가 온전히 받아주잖아요.
그러면서 저에 대한 신뢰감이 생겼어요.
나도 괜찮은 사람이구나. 아이를 온전히 받아들이고
고민하면서 키울 수 있는 괜찮은 인간이구나
생각할 때도 있고요."

설과 시가 동떨어진 건 아니라는 생각이 들었어요. 어쨌든 문장 하나, 단어 하나로 이미지를 심어주고 그 이미지 하나로 상상이 팽창되게 만드는 거잖아요. 시 번역을 하면서, 이런 능력을 서랍에 넣을 수 있으면 너무 좋겠다는 생각에 진짜 까치발 들고 열심히 했어요. 손이 안 닿는데 까치발 들고서라도 어떻게 좀 해보고 싶어서."

"시 번역이 안 풀릴 때 어떻게 하세요?"

"일단은 그대로 다 번역해서 이 둘의 관계는 뭐지, 이 사람은 왜 여기 가 있지, 이 사람은 왜 이런 얘기를 하지, 저한테 질문해요. 답은 안 나와요. 대신에 그 장면이 계속 마음에 남죠. 최종적으로는 마음에 남아 있는 이미지를 그대로 번역해요."

"그게 시 같아요. 마음에 남아 있는 이미지."

"의미가 아니고 이미지인 것 같아요. 이미지와 리듬을 살릴 수 있으면 최선이라고 생각하면서 번역해요."

그가 생각하는 좋은 번역에 대한 이야기를 마저 들었다.

"작품이 말하고자 하는 내용과 형식을 훼손하지 않아야죠. 작품을 읽었을 때 남는 이미지가 독자에게 전달되려면 내용이나 문장만으로는 되지 않아요. 저는 작품 분석을 먼저해요. 어떤 인물이고 왜 그런 행동을 했는지 납득이 돼야 문장이 딱 나와요. 분석을 잘해서 작품의 손실률을 최소화하는 번역을 할 수 있으면 좋겠어요."

"경험이 쌓이면 번역이 더 잘될까요?"

"그럴 거 같아요. 생활도, 읽는 양도, 지식도 쌓이니까요. 그래서 소설을 편하게 읽는 시간도 중요하지만 공부하는 시간이 굉장히 중요해요. 대학원에서 읽었던 책들도 웬만해서는 안 놓으려고 해요. 현대 철학을 다시 정립하는 시간을 가지려고요. 다행히 남편이 일본어 선생님이에요. 같이 문학 공부를 했었고, 대학원에서 만났어요. 현대 철학을 되게 좋아해서 의견을 많이 교환하는 편이거든요."

"문학과 철학 공부의 끈을 놓지 않는 것이 번역에서 중요하다는 거네요."

"네네. 사회를 보는 눈을 제가 지금 가지고 있는 것만으로 고정시키고 싶지 않아요."

승미는 정세랑의 《덧니가 보고 싶어》를 작업 중이고, 다음 작품으로 최진영의 《이제야 언니에게》를 준비하고 있다.

"《경애의 마음》도 너무 아팠거든요. 이 책도 뼈마디가 아플 것 같은 느낌이 들어요. 최진영 작가님도 되게 쓰기 어려우셨대요. 작가님이 어렵게 쓰신 작품을 쉽게 번역하는 건 아닌 것 같아서 열심히 하려고 각오하고 있어요. 최진영 작가님과 김금희 작가님은 한국에서 인기 있는 작가인데 제가 처음으로 소개하는 거고, 정세랑 작가님은 사이토 마리코 번역가가 번역한 《피프티 피플》로 이미 일본 독자들에게 인기가 있어요. 그 뒤에 제가 《옥상에서 만나요》를 했는데 부담이 컸고요. 근데 부담이 안 되는 작품은 없는 것 같아요."

문학으로 역사 공부

승미의 번역 리스트에는 번외 편이 있다. 그는 북한 관련 책을 번역하기도 했다. 대학생 때 '남북 대학생 새내기 교류회'에 뽑혀 북한을 방문했지만 그리 인상적인 경험은 아니었다. 외려 그가 북한의 존재를 실감한 것은 일본에 살면서다. 아르바이트를 하는 곳에 재일조선인이 있었다. 말로만 듣던 '자이니치'였다. 자이니치에 대해 간략히 설명하자면 해방 전후에 일본에 남은 조선인과 그 후손을 지칭하는 말로, 그들은 남북 분단 이후 체제 경쟁 속에서 재일조선인과 재일한국인으로 양분되며 이데올로기의 희생자가 됐다. 일본과 한국과 북한 사이에서 '낀 존재'가 된 그들은 모든 나라에서 차별을 받았고, 쉽게 잊혀졌다. 승미도 '저 사람이랑 대화를 해도 되나?' 생각할 정도로 자이니치에 대해 무지했다. 그분의 자녀가 조선학교에 다니고 북한에 친척이 있다는 이야기는 "너무 신세계였다".

승미의 주특기, 모름을 자각하면 파고든다. 승미는 북한에 대해, 재일조선인에 대해 그때부터 관심을 가졌다. 그러던 차에 2018년쯤 북한 관련 도서를 번역할 계기가 생겼다. KBS 특집 다큐멘터리 방송을 책으로 펴낸《누가 북한을 움직이는가》이다. 북한 연구자 문성희, 오사나이 소토코와 함께 공역했는데, 잘 팔리지는 않았다고.

"그 책을 번역하면서 북한과 자이니치와 역사에 대해 더 관심을 가져야겠다고 다짐했어요. 한국에 사는 재일 3세 번역가에게 많은 이야기를 듣기도 했고요. 어렸을 때 한 방송 프로그램에서 재일 교포 중고등학생들을 불러서 인터뷰를 했었어요. '너는 일본인이냐 한국인이냐'라고 질문을 받자 몇 명이 자기는 일본인 같다고 했어요. 제가 실제로 일본에서 살다 보니까 일본인 아이덴티티를 가지고 귀화하는 사람들이 꽤 있거든요. 비난할 일이 아니잖아요. 근데 저는 어린 마음에 '저런 매국노가 있나!'라고 생각했어요. 반일 감정이 있었으니까요."

승미가 '반일 감정'에서 벗어난 것은 일본에서의 생활과 문학 덕분이다.

"한국문학이 일방적으로 일본에서 유행하고 있는 것도 아니고, 예전처럼 일본문학이 한국에서 강한 영향력을 행사하고 있는 것도 아니에요. 정반합은 아닐지 몰라도 영향을 주고받는다고 생각해요. 최근에 박민정 작가나 한정현 작가가 쓴 소설처럼 일본과 한국의 역사에 관련한 작품도 많이 나오고 있어요. 잊히고 누락된 한국 근현대사를 다루어주니까 너무 감사하죠. 그런 작품을 번역할 기회가 생기면 좋겠어요. 제대로 역사를 알아가고 서로의 모르는 부분을 이해할 수 있는 계기를 만들 수 있다고 생각해요. 문학으로. 번역으로."

승미의 역사는 타인의 역사다. 짧은 인터뷰를 하는 동안 그의 서사에 중요한 타인들이 등장했다. 보아처럼 다른 나라에서 다른 언어로 활동하고 싶었고, 경품왕 할머니처럼 창의적으로 삶을 일궈가고 싶었고, 러시아문학 교수처럼 자기 일을 하면서 웃고 싶었고, 전공 교수님처럼 서랍을 많이 만들고 싶었고, 김응교처럼 지성과 따뜻함을 지니고 싶었고, 후루이 요시키치 소설의 등장인물처럼 세상의 소리를 담아내는 빈 통이고 싶었고, 〈벌새〉의 은희처럼 자신을 응시할 수 있는 용기를 내고 싶었고, 한국문학의 주인공들처럼 개인의 아픔을 통해 사회의 문제를 보고 싶었고……. 그렇게 그가 포착한 타인의 반짝이는 순간들은 별자리가 되어 그의 삶을 인도했다. 하나씩 하나씩 늦더라도 작은 열망을 현실로 피워냈다. 아름다운 퀼트 조각보처럼.

알차나

— 어쩌다 산책에서

나는 사랑하므로 나 자신이 된다.[1]

—김혜순

반짝반짝 한국어

Midday Haunting

The sun shows me unknowable appendages

And an ink-feathered entity at my heels

But it's the space beside me that feels

Cold when I look down and think, *Wait*

Did I always have two heads?

한낮의 유령

햇빛에서 보인다—알 수 없는 팔다리와

발꿈치에 모여 있는 검게 물들인 상상의 것들

내 옆에서도 매운 추위를 느끼며

눈은 바닥으로 향하여 불쑥 생각이 들어와, *잠깐*

나는 머리가 원래 두 개 달려 있었던 건가?

"제 그림자를 보고 '알 수 없는 팔다리'라는 표현이 떠올랐어요. 제 안의 애매 애매한 느낌을 표현하고 싶었던 것 같아요. 나는 여기도 저기도 속할 수 없다, 인도 문화도 미국 문화도 가지지 않는다, 과학 전문가도 문학 전문가도 아니다, 내 행복과 부모의 행복 둘 중 하나만 존재할 수 있다. 어떤 것을 선택한 순간, 다른 무언가가 나를 계속 쫓아다니는 그런 느낌이랄까요?"

이 시를 쓴 알차나는 인도계 미국인 한국문학 번역가다. 이 한 줄의 명제가 세 개의 국경을 넘나든다. 이미 시적이다. 잡히지 않음, 흘러넘침, 낯섦, 의아함이 신경을 모으게 하고 존재 응시를 유도한다. 자신의 시에서 노래한 대로 그는 속하지 않는 사람, 전문가의 의복을 벗어버린 사람, 행복을 고르는 사람이다. 알차나와의 첫 인터뷰는 줌에서 한국어로 진행했다.

"10년 넘게 한국어를 공부하고 있고, 2019년부터 문학번역가로 일하고 있어요. 아직 이렇게 한국어로 대화하는 것에 좀 서툴러요. 예의 있게 말하고 싶은데 무례할 수도 있어서 좀 미리 죄송하다고 말하고 싶어요. 긴장되네요."

그의 크고 또렷한 눈동자가 고요하게 흔들렸다. 말투는 조심스러웠다. 그럴 만도 하다. 번역가로서는 인터뷰가 처음이고, 한국어로 자기 이야기를 길게 말하는 자리도 알차나에게는 처음이다. 줌 인터뷰에 동석한 편집자가 인터뷰에 응해

쥐서 고맙다며 가볍게 첫 질문을 던졌다. 초면인데, 인터뷰 제안을 수락한 이유가 있느냐고.

"번역을 잘 아는 분인 것 같아서 저도 얘기하고 싶었어요. 저 말고 다른 번역가들도 인터뷰했다니까 좀 안심이 됐고요. 저는 원래 믿음이 많은 사람인 것 같아요. 저는 믿는 편인 것 같아요."

스탠퍼드 다니는 우리 딸

알차나는 면역학 전공자다. 원래 문학과 글쓰기를 "정말 정말" 좋아했는데 아버지는 과학을 공부해야 한다고 반대했다. (인도의 아버지와 한국의 아버지는 닮았다.) 알차나도 과학을 좋아하긴 했다. 대학에 들어가 연구실에서 리서치를 하고 논문도 여러 편 썼다. 교수님이 알차나에게 박사 과정을 권유했고 그도 "별생각 없이 오케이" 했다.

"과학에 관심이 있긴 있었어요. 고등학생 튜터링을 했고, 과학을 가르쳐주는 팟캐스트도 하고 있었어요. 일반인에게 재밌고 신기한 과학자의 발견을 가르쳐주는 일을 특히 좋아했는데, 아카데미아는 그런 데에 별로 집중하지 않았어요. 저는 원래 사람들이 어떻게 아프고, 왜 아프게 되는지가 궁금했어요. 면역학을 공부하면 이해할 수 있다고 생각했고 그쪽의 리서치도 새로운 분야라서 재밌다고 생각했는데……

스탠퍼드에 가보니 정말 힘들었어요.

그때 알았어요. 아카데미아의 과학자가 되는 일이 쉽지 않은데, 그 험난한 길을 갈 정도로 내가 과학을 사랑하지는 않는구나. 결국은 저와 맞지 않는 직업인 것 같아서 석사만 받고 그만뒀어요. 제가 박사 공부를 그만두자 아버지가 정말 정말 화가 나셨어요. 아버지가 다른 친척들한테 '스탠퍼드 다니는 우리 딸'이라고 늘 자랑하셨고, 그게 저도 좋았어요. 아버지가 드디어 저를 자랑하게 되었는데 이렇게 그만두면 어떡하지 하는 고민이 있었지만 '이건 아버지 인생이 아니다, 내 인생이다'를 깨달았어요. '아버지가 화를 내더라도, 지금 내 인생을 살아야 된다.' 인생의 터닝 포인트였죠."

그의 나이 스물네 살 때다. 원래 믿음이 많은 사람인데 지금까지 그 믿음이 '나'를 제외한 남들에게만 향했다는 자각이, 너무 늦지 않게 찾아왔다. 그건 마치 엄마가 식구를 위해 날마다 삼시 세끼 밥을 하면서도 나를 위한 밥은 한 번도 차린 적이 없음을 알아차리는 일과 비슷하지 않은가. 나도 모르게 "정말 잘하셨어요"라는 말이 튀어나왔고, 알차나는 잠언처럼 간결한 문장으로 자아 찾기에 관한 증언을 이어갔다.

"다른 길을 걸어가야 된다는 걸 깨닫고, 다른 길을 걸어도 살 수 있다는 걸 믿었어요. 저는 처음으로 저를 믿었어요. 다른 사람이 아니고 저를 믿었어요."

자기 인식은 시작이 어렵지, 일단 시작되면 파도처럼 밀려온다. 막을 수도 없고 거스를 수도 없다. 이전으로 돌아가지 못한다. 그래서 그는 망설임 없이 말한다. "박사 학위는 따지 않기로 했지만 더 행복한 사람이 되었다"고. 어떤 사람이 행복한 사람이 되었다는 것은 자신이 무엇을 할 때 행복한지 아는 사람이 되었다는 뜻이다. 알차나에게는 그게 한국어다. 진로 문제로 방황하던 시기에 한국 드라마를 "많이 많이" 봤고 한국어 공부도 "열심히 열심히" 했다. 매일과 열심의 운동에너지는 그를 다른 사람으로 바꾸어놓았다. 복종하는 사람에서 주장하는 사람으로. 남을 믿는 사람에서 나를 믿는 사람으로. 불행을 느끼는 사람에서 행복을 결심한 사람으로. 그에게 물었다. 좋아하는 힘으로 좋아하지 않는 것을 끊어내는 힘이 생긴 것이냐고.

"맞아요. 우울증을 겪었을 때에도 이렇게까지 한국어를 즐길 수 있다는 게 신기했어요. 인생의 하루하루가 힘들어 계속 울고 있었는데, 한국어 책만 열면 정말 행복이 느껴져서 내가 행복해질 수 있는 가능성이 있다는 걸 그때 알았어요. 슬퍼도 그건 알았어요."

뇌 공부법

알차나는 한국어와 사랑에 빠진 순간이 아직도 생생하

다. 그는 인도에서 태어나 생후 3개월 때 가족과 함께 미국으로 왔다. 고등학교 1학년 때 캘리포니아에서 온 한국 교포 아이랑 친구가 됐는데 그 친구가 먹는 과자에 한글이 써 있었다.

"이건 무슨 언어야?"

"이건 Korean이야."

친구가 준 한국 노래 믹스 테이프를 간간이 들었지만 그뿐이었다. 그땐 일본어에 심취해 있었다. 애니메이션이나 만화책을 좋아해서 열세 살 즈음부터 일본어를 "재미로 독학"했다. 한국어는 몇 년 동안 잊고 지내다가 대학교 1학년 때 재회했다. 〈고사: 피의 중간고사〉라는 공포 영화를 보는데, '한국어는 정말 아름다운 언어'라는 느낌이 갑자기 들었다. 그러고는 예전에 친구가 준 한국 노래를 찾아냈다.

"다시 한국어와 사랑에 빠졌어요. 사실 사람들이 왜 한국어를 공부하냐고 질문하면 저도 대답이 잘 안 돼요. 한국어는 정말 예쁘다고 생각해서 배웠어요. 다른 언어를 공부할 때는 전통적인 방법으로 책을 보고 단어장 같은 플래시 카드 만들었는데 한국어는 진짜 아이처럼 공부했어요. 신기하게, 마법처럼, 저도 모르게, 드라마 보면서 알게 된 여러 단어와 문법이 생각을 거치지 않고 뇌에 들어가서 그냥 배웠어요. 열심히 한 것도 아니고요."

보기만 해도 한국어가 뇌에 들어오다니! 이 무슨 사랑의 도술이란 말인가. 나는 입이 다물어지지 않았다. 어서 그

비법을, 알차나만의 '뇌 공부법'을 캐내야 했다.

독학자 알차나의 한국어 첫걸음 교재는 K-팝이었다.

"사실 그때 동방신기를 많이 좋아했어요. 동방신기의
〈HUG(포옹)〉 한국어 가사를 로마자로 음차해서 공부했어
요. 예를 들어 '하루'면 '하(ha)' 그리고 '루(ru)'. 이렇게 진짜
소리 내면서 한글 하나하나 배우지 않고 글자를 따라 배웠어
요. 궁금하면 궁금한 대로 가고, 어려워도 어렵다고 생각하
고. 그만두는 것보다 나으니까. 그냥 신이 났어요."

누군가를 열렬히 좋아하는 마음. 덕력에 불가능은 없다.
덕력은 언어의 장벽을 녹인다. 에픽하이는 알차나가 지금까
지도 좋아하는 밴드다. K-드라마도 그의 한국어 실력 함양
에 한몫했다. 〈커피프린스 1호점〉부터 〈이번 생은 처음이라〉
까지 시청했고, 〈성균관 스캔들〉은 책 구매로 이어졌다. 소
설 《성균관 유생들의 나날》은 그가 처음으로 산 한국소설이
다. 이 책을 통해 조선시대의 생활과 역사를 공부했다. 이 밖
에도 그는 한국어 펜팔 친구들을 사귀기도 했는데 10년 동안
인터넷 친구로 지내다가 몇 명은 직접 얼굴을 보기도 했다.
나는 이거구나, 싶어서 물어보았다.

"펜팔 친구들이랑 대화하고 메일 주고받으면서 한국어
실력이 더 늘었겠네요?"

"그런가? 모르겠어요."

"한국어로 대화하는 거 아니에요?"

"네! 한국어로 이야기했는데 그 친구들이 저를 가르쳐 주지 않았어요. 그냥 친구랑 얘기하듯이 자연스럽게. 이상한 점이 있어도 딱히 고쳐주지 않고 그냥 계속 얘기하니까 모르 겠어요. 실력이 늘었는지 아닌지……."

"와, 정말 즐겼나 봐요."

"네, 제가 한국 회사에서 일하지도 않고, 남편이 한국인도 아니고, 그냥 별 이유 없이 배우니까요. 부담 없이, 재밌게."

결과가 아닌 과정 중심의 공부. 시험이나 경쟁의 수단이 아니라 앎 자체를 느긋하게 즐기는 공부. 알차나가 한국어를 익힌 방식은 목적도 방법도 따로 없다는 게 핵심이었다. 큰 목표가 없으니 큰 좌절도 없고 좌절이 없으니까 포기도 없는 것이다.

"사실 저를 정말 신기하다고 생각하는 사람들이 많아 요. 어떻게 공부를 좋아할 수 있지? 하고요. 어떻게 설명해야 할까요. 그러니까 언어나 번역 공부할 때는 순간순간 과정을 즐기는 거예요. 계속 목표만 생각하거나 나중에 실력이 늘었 을 때 이렇게 할 수 있다고 생각하면 미래를 위해 사는 거잖 아요."

"다들 지금을 희생하는 거죠. 실력은 빨리 늘지 않으니 까 괴롭고."

"네, 저는 그렇게 살고 싶지 않아요. 내가 이거 하면 미

"다른 길을 걸어가야 된다는 걸 깨닫고,
다른 길을 걸어도 살 수 있다는 걸 믿었어요.
저는 처음으로 저를 믿었어요.
다른 사람이 아니고 저를 믿었어요."

래에 어떻게 될까, 무얼 할 수 있을까, 그렇게 생각하지 않고, 그냥 그 순간의 호기심을 좀 만족스럽게 느끼고 싶어서 하는 거예요."

"순간순간 어떤 기쁨이 있었어요?"

"새로운 단어를 알아들었을 때요. 예를 들면 드라마 보다가 최근에 배웠던 단어가 나왔을 때, '이거 안다!' 그런 기쁨. 좋은 표현을 배웠을 때, 아니면 어떤 멋진 문장을 다 알아들었을 때. 마음에 있는 정말 전하고 싶은 말이 생각도 없이 자연스럽게 한국어로 나올 때요."

"작은 기쁨을 많이 느끼고 계속하는 게 중요하네요."

"네!"

한국어는 나의 힘

알차나는 6개 국어를 한다. 모어인 마리티어, 영어, (부모가 쓰는) 타밀어, 프랑스어, 일본어, 한국어까지. 이쯤 되면 언어 천재 아닌가 싶은데, 유전적 근거가 있다. 할아버지가 산스크리트어 학자다. 알차나와 아버지의 관계가 별로 좋지 않고, 아버지와 할아버지의 관계도 좋지 않은데, 알차나와 할아버지의 관계는 무척 좋았다. 할아버지는 돌아가시기 전까지도 인도의 다른 언어를 배우고 있었다. (인도의 공용어만 해도 22개다.) 어머니는 알차나가 할아버지한테 언어 능력을 물려받은 것 같다고, 네가 전생에 한국 사람이었나 보다, 라고 말할 정도다.

"한국어를 읽을 때나 말할 때 모국어랑 비슷한 소리가 나요. 어떤 표현은 의태어, 의성어까지 비슷하게 느껴져요. 그래서 한국문학을 읽을 때 인도의 문화, 가족의 문화와 더 가까워지는 것 같아요. 모국어를 익혀서 글도 쓰고 싶고 책도 읽고 싶은데, 부모님의 기대가 너무 커서 자유롭게 배우지 못했어요. 한국어가 모국어를 대신해 주는 느낌이에요."

느낌과 끌림으로만 설명되는 불가해한 상황. 알차나가 한국어에 대한 자신의 특별한 감정을 설명하려고 할수록 언어는 무력해졌다. 나는 어머니의 전생설에 솔깃해져서 알차나에게 슬쩍 물어보았다.

"혹시, 전생을 믿어요?"

"영혼은 신비로운 것이라서 그럴 수도 있을 거 같아요."

"그죠. 과학적으로 증명되지 않는 것들이 많이 있으니까요. 또 설명 불가능한 게 제일 강력한 것 같아요. 이렇게 삶을 좌지우지하잖아요. 한국어가 좋다는 그 막연한 끌림이, 알차나를 면역학을 그만두고 문학 번역까지 하게 했어요. 그 언어를 제일 잘 차려놓은 게 문학이니까 자연스러운 수순 같아요."

"네네네네네. 루이즈 글릭 에세이에도 '언어를 좋아하는 사람이 시를 좋아하고, 또 쓰고 싶어 한다'는 말이 나왔던 것 같아요. 그래서 저도 한국어를 좋아해서 당연히 문학과 시를 좋아하게 됐던 것 같아요."

나는 알차나에게 여러 나라 언어를 할 줄 알면 무엇이
좋은지 물어보았다.

"세상이 작아지는 느낌이에요. 많은 언어를 알면 여러
문화나 사람들의 사고방식도 알 수 있죠. 한 나라의 사람보
다 세계의 사람들과 의사소통하면 다른 사람을 이해할 수 있
는 가능성이 커지는데, 무엇보다 제가 저를 잘 이해하게 된
것 같아요. 제대로 말이 나오지 않을 때가 있잖아요. 표현할
수 없는 감정이 있는데, 많은 언어를 알면 내가 원하는 뉘앙
스의 단어를 선택할 수 있어요.
　예를 들면 한국어의 '마음'이라는 단어는 '심장'의 뜻도
있고 '감정'의 뜻도 있고 여러 뉘앙스가 있잖아요. 다 포괄하
는 뜻을 얘기하고 싶을 때 '마음'이라고 하면 돼요. 영어에는
그런 말이 없거든요. feeling, sense, heart 등등 여러 단어가 있
지만 (딱 들어맞는 느낌은 아니고) 간단하게 제 마음을 표현하고
싶을 때 그냥 '마음'이라고 할 수 있어서 좋아요. 많은 언어
를 할 줄 알면 뭔가 자유가 느껴지는 것 같아요. 저를 표현할
수 있는 자유."

'언어는 존재의 집'이라는 하이데거의 유명한 말도 있
다만, 어떤 사람은 그 집이 갑갑하여 여러 채의 집을 짓는다.

'이렇게 살아야 된다'는 한 가지 진리만 허용하는 가부장제의 언어, 좁아터진 어항 같은 삶의 선택지를 벗어나도록 도와주는 믿을 만한 도구가 그에겐 언어였다. 하나의 절대적 언어가 아닌 다수의 언어들. 나는 알차나가 여러 언어를 공부하면서 자신을 설명하는 다양한 표현 방법을 찾아내고 비로소 해방된 것 같다고 말했다.

"맞아요!!! 정말 그래요!! 좀 이상하게 들릴 수도 있지만 저와 한국어의 관계는 사랑 이야기 같아요. 사람들한테도 나는 수많은 언어와 데이트하다가 결국은 한국어와 결혼했다고 말해요. 한글이라는 언어는 저한테 큰 의미예요. 왜냐하면 처음으로 제 인생에서 아무 도움 없이 시작했고 제 궁금함을 따라가기 시작해서 여기까지 왔어요. 한국어는 제 힘을 대표하는 것 같아요. 그래서 한국어 책을 읽을 때마다 한국어 문장을 볼 때마다, 제가 너무 자랑스러워요.

'내가 이거 했다. 배웠다. 번역가가 됐다.'"

2022년 11월, 알차나가 한국에 왔다.

그가 입국하고 보름 뒤쯤 대학로에 있는 책방 '어쩌다 산책'에서 두 번째 인터뷰를 진행했다. 흡사 박물관 같은 너른 공간, 짙은 나무색 책꽂이에 책이 너럭너럭하게 전시된 책방, 책 표지 위로 은은한 조명이 떨어지는 서가를 알차나는 찬찬히 거닐며 마치 유물 보듯 한 점씩 세세하게 들여다보았다. 책이 더없이 귀해지고 존재감을 드러내는 여기가,

순간적으로 먼 곳에서 온 알차나를 위해 설계된 영화 세트장처럼 느껴졌다. 나는 알차나 곁을 조용히 따라 걸어가며 속삭였다.

"여기가 천국 같죠?"

알차나도 소곤소곤 말했다.

"네. 정말 좋아요."

치마를 입은 우주 소녀

알차나는 한국 방문이 세 번째다. 오자마자 달려간 곳은 부산. 부산에서 이제니 시인을 만났다. 그는 번역가 멘토십 프로그램으로 시인의 첫 시집 《아마도 아프리카》를 번역하고 있다.

"정말 신기했죠. 정말 좋은 분이라고 생각했어요. 같이 회도 먹고 케이블카도 타고 시 얘기도 많이 했어요. 선생님이 처음에는 제가 한국어를 잘할 수 있을까 약간 걱정하셨던 것 같은데, 제가 말을 시작하자 편하게 말씀해 주셔서 저도 친해졌다는 느낌이 들었어요."

좋아하는 시인을 만나고 온 번역가의 표정엔 긍지와 기쁨이 묻어났다. 왜 아니겠는가. 시인과 번역가란 같은 작품을 세상에서 가장 깊게 가장 많이 읽은 두 사람으로, '영혼의 친족'이나 다름없다. 알차나는 지난 2년 동안 번역을 하다가 막히는 부분이 생길 때면 시인과 메일을 주고받았다.

"제니 선생님의 시에는 직접 만든 단어도 나오고 캐릭터도 나오고, 의태어나 의성어, 존재하지 않는 언어가 자주 나와요. 예를 들면 시 〈공원의 두이〉에서 '두이'가 뭔지 몰랐어요. 이름인가, 두 이(두 사람)인가 선생님에게 물어봤어요. 선생님이 '두이'란 불교적 관점에서 쓰는 단어인 '불이(不二)'라는 단어를 임의로 바꿔 만든 조어라고 하셨어요. 나와 너, 정신과 영혼은 다른 둘이 아니다. 그리고 다른 둘이 아니라는 말은 곧 '만물이 하나'라는 뜻이라기보다 모든 것을 바라볼 때 분별없음에 이르러야 한다. 그렇게 '불이'에서 다른 둘이 아닌 '둘이'에서 '두이'로 바꾸었다고 하셨어요. 그 이야기를 듣고 이런 의미를 가진 영어 이름을 저도 만들어야겠다고 생각했어요."

알차나는 번역을 잘하기 위해 시인과 친해지는 게 좋다고 생각한다.

"번역가 중에는 작가와 얘기를 안 하는 경우도 있어요. 저는 작가의 마음과 머리에 있는 것을 알아야 작품을 잘 번역할 수 있다고 믿어요. 이번에 이제니 시인을 만났을 때도 작품을 만든 분이 스스로 작품을 설명해 주는 게 신기하고 의미 있었어요. 이제니 선생님은 오랫동안 소설가로 데뷔하고 싶었다고 하셨죠. 시간이 지나 소설이나 시가 그렇게 다르지 않다고 생각해서 그냥 쓰고 싶은 글을 썼다고 해요. 그런 말을 듣고 나니까, 어떤 시는 시 같은 시고, 또 어떤 시는 소설 같은 시구나, 알 수 있었어요. 시인의 설명을 마음에 담고 번역하면 의도를 아니까 더 좋아요."

알차나는 이제니의 시 〈치마를 입은 우주 소년〉을 좋아한다. 시가 치마처럼 삼각형 모양으로 생겼다. 처음 봤을 때 "내가 왜 한국어를 좋아하는지를 잘 떠올리게 하는 시"라고 생각했다. '별 별/별 별'은 그대로 영어로 옮기면 길어지니까 별 모양 이모티콘(☆ ☆/☆ ☆)으로 넣었다. 어떤 부분은 조금 변경해서 결과적으로는 똑같은 치마 모양을 만들었다.

"이제니 시인의 시는 음악처럼 들리는 시 같아요. 의미를 파악하는 것보다 운율을 따라가면서 무슨 느낌이 나오는지 느끼죠. 처음은 리듬으로 읽고 두 번째 세 번째 읽을 때 의미를 생각해요. 제가 알타의 멘토링 프로그램 낭독회에서 이제니 선생님의 시 〈나선의 바람〉을 낭독하고 그 영상을 이제니 선생님한테 보냈어요. 선생님이 보시고는 잘 읽었다, 리듬까지 번역한 것 같다고 말해주셔서 정말 좋았어요."

알차나는 한국에 머무는 동안 백은선 시인, 김현 시인과의 약속도 잡았다. 그동안 인스타그램 DM으로만 얘기해 보았지 처음 만나는 거라 신기하고 부끄럽지만 "복받은 느낌 같다"며 들뜬 표정을 감추지 못했다.

LGBTQ 시 번역

《나빌레라Nabillera》는 영미권 독자들에게 한국 현대문학을 소개하는 미국의 작은 웹진이다. 《나빌레라》에서 자원봉사 번역가를 찾는다는 공고가 났다. 알차나는 오한기의 장편소설 《홍학이 된 사나이》를 발췌 번역해 제출했다. 그로부터 6개월이 지나 안수현 번역가에게 연락이 왔다. 오한기의 작품을 잘 읽었다고, 지금 김현의 시집 《글로리홀》을 번역하고 있는데 같이 할 사람이 있으면 좋겠다고.

한국어판 《글로리홀》은 내 기준에서도 만만치 않은 시집이다. 매 시편마다 각주가 달려 있고 본문도 언어의 밀도가 높아서, 방심하고 펼쳤다간 '문자 현기증'을 유발한다. 255쪽 분량으로 시집치고는 두툼한 편이다. 아무리 반씩 나눠서 한다고 해도 쉽지 않은 작업이었을 터, 알차나에겐 새로운 도전이었다.

"서로의 초고를 보며 의견을 교환했어요. 좋은 파트너십이었죠. 그분이 한국인이어서 '한국어로 이 표현은 이런 느낌인데, 영어로 비슷한 느낌의 표현이 있을까?' 하며 저한테 물어봤고, 저도 한국어 의미에 대해 많이 물어봤죠. 안수현 번역가에게 그때 너무 고마웠고 미안했어요. 제가 자신감을 계속 잃었어요. 코로나 때였고 마감이 계속 계속 미뤄지고. 김현 시인의 시를 아름답게 만들고 싶었어요. 그 의미를 잘 드러내는 단어를 쓰고 싶었는데, 제가 하고 싶은 것과 원본이 정확히 반대였죠. 안수현 번역가가 가르쳐줬어요. 김현 시인의 시는 이렇다고."

알차나는 선배 번역가의 조언을 이렇게 기억했다.

"성소수자 역사와 현대의 삶은 너무 힘들고 복잡하고, 그런 퀴어의 의미를 가진 시니까 항상 아름답지는 않다. 혼란스러울 때도 있고 당황하게 하는 장면도 나온다. 마이너리티, LGBTQ인 사람들의 역사를 생각하면서 번역하면 잘 나올 거라고요. 고민도 있었어요. 저는 성소수자가 아닌데, 이 역사와 힘든 일을 겪어보지도 않고 어떻게 번역할 수 있을지. 그래서 연구자처럼 시에 나오는 영화나 음악을 다 찾아보고 검색하면서 번역했어요."

영문판이 출간되자, 알차나는 가까운 트랜스젠더 친구에게 《글로리홀》을 보여주었다. 친구가 읽고는 "내 인생을 잘 보여주는 시집이다, 내 인생이 들어가 있는 시집이다"라고 말했다. 알차나는 안도했다.

"풀릴 수 없는 번역은 없는 것 같아요. 무슨 언어든, 일치하는 단어나 표현이 있는데 아직 못 찾은 거라는 믿음이 있어요. 저는 그런 믿음이 있어서 시간이 필요하다고 생각해요. 다른 번역가나 편집자에게 물어보는 경우도 있고요. 번역은 혼자 하는 일이라고 생각했는데, 저한테는 정말 사람이 필요한 것 같아요."

카테고리 없음

사랑이나 사람이라는 단어를 이토록 거듭 진심을 다해 말하는 사람이 또 있을까. 나는 본 적 없다. 인간에 대한 이 도저한 믿음과 사랑은 어디서 샘솟는 걸까. 알차나는 자신이 내성적인 편이지만 가까워질수록 더 대화하고 의사소통을 잘하고 싶은 마음이 있다고 했다. 그는 사람을 재단하지 않고 잘 들어주는 넉넉한 품을 가졌고, 그런 품이 필요한 사람은 그를 알아볼 것이다. 나는 알차나한테 고민을 터놓는 사람들이 많을 것 같다고 말했다.

"이제니 선생님도 그러셨어요. 갑자기 저한테 많은 이야기와 아픔을 들려주셔서 저도 놀랐어요. 제가 잘 들어주는 것 같아요. 다른 사람한테 관심이 많고 이해하고 싶어요. 아무도 이해해 주지 않는 사람을 제가 이해해 주고 싶어요."

'아무도 이해해 주지 않는 사람을 이해해 주고 싶어요.'

아, 내 입에서는 조용한 탄성이 새어 나왔다. 아무도 이해해 주지 않는 사람을 이해해 주고 싶다니. 그 말의 잔향을 붙들고 잠시 음미해 보았다. 이것이야말로 문학의 본령이 아닌가. 사람과 삶에 대한 깊고 온전한 이해. 알차나의 언어는 삶과 문학의 경계가 사라지고 있었다. 그는 작가의 꿈을 이야기했다.

"어렸을 때부터 책을 많이 읽었고 작가가 되고 싶었어

요. 어머니도 대학에서 영문학을 공부하셨죠. 어릴 때 도서
관에 가면 비백인 작가가 쓴 책을 골라주셨어요. 여러 나라,
여러 사람의 이야기를 알아야 한다고 하셔서 영국과 미국뿐
아니라 다른 나라의 이야기, 번역된 이야기에 익숙했어요."

"책은 왜 그렇게 많이 읽었어요?"

"제 인생이 아닌 다른 곳으로 빠져나가고 싶었던 거 같
아요. 다른 삶, 다른 사람의 이야기에 관심이 많았어요. 저희
부모님 특히 아버지가 엄격하셔서 다른 가족들은 어떻게 사
는지 좀 궁금해서 그런 이야기를 많이 찾았어요."

"작가가 되고 싶었다면, 처음부터 시를 쓰고 싶었나요?"

"어렸을 때는 SF나 판타지, 하이 판타지 장르소설을 쓰
고 싶었어요. 지금 쓰고 싶은 건 시와 소설 사이에 있어요.
이야기는 별로 없고 생각이나 감정이나 장면이 들어가는 그
림 같은 글을 쓰고 싶어요. 잊을 수 없는, 아름다운 단어를
쓰면서, 뭔가 그림을 그리고 싶은. 무슨 뜻인지 모르겠지만
요. 처음에는 정말 좋은 이야기를 전하고 싶었는데 지금은
이야기보다는 그냥 그런······."

"시와 소설의 중간? 생각과 감정이요? 버지니아 울프의
《파도》가 그렇죠. 소설도 아니고 시도 아니고. 독백과 이미지
로 된 작품."

"네네, 맞아요. 요즘 많이 생각해요. 제가 경험한 감정을
글로 쓸 때, 그것도 번역이라고요."

"맞아요. 글쓰기는 생각의 번역, 마음의 번역, 감정의 번

역 같아요. 요즘에 글로 써보고 싶은 이슈가 있나요?"

"흔한 이야기 같지만, 제가 인도계 미국인으로 미국에서 자랄 때 미국인도 아니고 인도 사람도 아니고 스스로 외계인처럼 느꼈어요. 미국도 아니고 인도도 아니고 그 사이에서 자란 거 같았죠. 어머니와 아버지는 제가 인도 사람처럼 살길 바라셨는데, 제가 인도 문화보다 미국 문화를 쉽게 받아들였어요. 근데 저를 알면 알수록 약간 아픔도 느끼고……."

"어떤 아픔인가요?"

"그러니까 인도 문화나 언어를 잃었다, 잊었고 잃었다. 이만큼 한국 문화, 문학에 관심이 있는 것에 뭔가 죄책감을 느껴요. 사람들하고 얘기할 때, 저를 외계인처럼 봐요. 어떻게 인도계 미국인이 한국문학을 번역하는지. 그리고 과학을 공부했는지. 어떤 사람이야? 그런 시선을 느낄 때 그걸 글로 표현하고 싶어요."

"인간은 우주의 먼지 같은 존재인데 왜들 국적을 그리 따질까요."

"네, 맞아요. 맞아요. 저도 그렇게 생각하는데, 아마 제 가족 때문에 그런 생각을 하는 거 아닐까요. 사람들이 원래 카테고리 만드는 거 좋아하는데, 저는 카테고리에 잘 들어가지 않아서. 어떨 때 보면 차별은 아니고 그냥 이상하게 보이는 것 같아요."

"카테고리 안에 안 들어가면 설명이 잘 안 되니까 사람들이 못 견디는 것 같아요. 쟤는 뭐지? 불안해하고 경계하고.

근데 카테고리 안에 들어가지 않는 사람이 되는 거 멋있어요. 신비롭고."

"외로운 느낌도 들고."

"아…… 알차나를 제일 잘 알아주는 사람은 누구예요?"

"정말 답한 질문. 저도 저를 잘 모르는 것 같아요."

"모르니까 글 쓰고 싶은 것 같아요."

"그러니까요. 나를 이해하려고 글을 쓰는 거 같아요."

"혼란스러움, 그게 없으면 글을 쓰는 동기부여가 잘 안되죠."

"그런 것 같아요. 그런데 저한테는, 무서워요."

"글쓰기가?"

"아뇨, 아뇨. 혼란스러움이 없으면 글을 쓸 수 없다고 생각하면 조금 무서운 것 같아요."

"어떤 점이요?"

"제가 저를 잘 알고 싶어서 계속 노력하고 있어요. 언젠가 저를 다 알게 되는 때가 온다고 믿어요. 그런데 그때 글을 못 쓰게 되면 어떡하나."

"나중에 쓸 게 없거나 쓰고 싶은 마음이 안 들면 어쩌나 하는 거예요?"

"네네. 맞아요."

"저도 그런 생각해요. 나중에 쓰고 싶은 게 없으면 삶의 의미가 없을 것 같다고. 알차나는 사람들과 무엇을 나누고 싶어요?"

"제 인생이 아닌 다른 곳으로 빠져나가고 싶었던 거 같아요.
다른 삶, 다른 사람의 이야기로."

"저는 저와 같은 감정을 느끼는 사람, 특히 이민자들이나 두 문화 사회에서 소속감을 찾기 어려운 사람들을 위해 글을 쓰고 싶어요. 제 이야기가 좀 위로가 됐으면 좋겠어요."

속하지 못하는 사람들. 여기도 아니고 저기도 아닌 사람들. 나는 내가 만난 미등록 이주아동, 한국에서 살고 있지만 부모가 체류 자격이 없어서 자신도 신분을 보장받지 못하는 아이들을 떠올렸다. '유령으로 살아온 거나 마찬가지다. 살아 있는 사람으로 인정받고 싶다'는 다급한 진실을 발설하는 존재들. 알차나가 글을 쓴다면 그 아이들에게 위로가 될 것 같았다. 원래 '나'가 설명되지 않는 사람들이 글을 쓰고, 변방과 경계야말로 문학이 태어나는 자리다. 나는 문득 떠오르는 이름이 있어서 실없이 던져보았다.

"아, 가즈오 이시구로도 일본계 영국인이잖아요."

얼굴이 갑자기 밝아진 알차나가 신나게 받아친다.

"가즈오 이시구로랑 저랑 생일이 같아요!"

그레텔과 두부멘탈

알차나는 교육 디자이너Instructional designer다. 직장에서 고객에게 소프트웨어 사용법을 교육하는 업무를 맡고 있다. 문학 번역할 때와는 다른 언어로 생각하고 다른 태도로 일한다. "회사에서 버는 돈이 다 언어 아니면 번역으로" 가는데 지금도 주 1회 한국어 수업을 듣는다. 논문 번역 등 높은 레벨의 언어를 공부하며 "정말 사랑하는 글쓰기와 언어가 다 합쳐진 일"인 문학 번역가의 소양을 쌓고 있다. 번역할 책도, 번역하고 싶은 책도 많다.

"지금은 이제니 시인 시집 중에 《아마도 아프리카》를 번역하고 있는데, 가장 큰 이유는 저와 한국어의 관계를 보여주는 대표적인 작품 같아서예요. 영어권 독자가 얼마나 관심 있을지도 중요하지만, 지금은 저를 위해서 번역하는 것 같아요. 저를 위해서 또 제가 좋아하는 사람을 위해서요. 특히 여동생이 한 명 있는데 여동생도 책 읽기를 정말 좋아해서, 제가 좋게 읽었던 웹툰이나 책에 대해 얘기하고 싶다는 생각으로 번역해요. 책을 읽다가 좋은 문장이나 문단이 나올 때면 이거 해보자 하고, 그냥 연습 삼아 해요. 매체에 실리려고 하지 않고 그냥 해봐요. 그러면 제가 왜 이 작품을 번역하는지 스스로를 좀 더 잘 알게 돼요."

가령, 알차나가 자신을 위해 번역하는 한국문학으로는 장류진의 《일의 기쁨과 슬픔》 같은 소설이 있다. "제가 소프트웨어 업계에서 일하고 있잖아요. 뭔가 제 인생 같았어요."

알차나의 인스타그램 아이디는 *dubumentality*다. '두부 멘탈'은 두부처럼 생각 없이 멍 때린다는 뜻으로 한국어 음차를 영어로 쓴 아이이다. 그의 인스타그램에는 풍경 사진과 토끼 사진이 종종 올라온다.

"저희 남편이 어렸을 때부터 토끼를 키웠고, 저도 동물원에 있는 토끼, 고양이와 놀아주는 자원봉사를 했어요. 그러다 어떤 토끼와 사랑에 빠져서 입양했어요."

알차나에게 토끼 이름을 물었다.

"그뤠렐이요."

"네??(듣기 실패)"

"Gretel이요."

"그……뤠에…… 뭐요?"

"헨젤과 그레텔에……."

"아, 그레텔~!!!"

알차나랑 대화하는 동안 어떠한 정서적, 언어적 이질감도 느끼지 못했기에, 알차나의 '본토 발음' 토끼 이름 덕에 한바탕 웃었다.

알차나는 한 에세이에서 '하늘이 무너져도 솟아날 구멍이 있다'라는 속담을 좋아한다고 썼다. 인터뷰를 마치며, 한국어의 찬미자인 당신이 어떤 면에 매료되어 그 속담을 좋아하게 되었느냐고 물어보았다.

"처음 배운 속담이고 또 진로 고민으로 한참 힘들 때 배워서인지 마음에 담아두었어요."

"하늘이 무너져도 솟아날 구멍이 있는 것 같아요?"

"영어로 번역하면 'Every cloud has a silver lining'이라고 하는데, 영어로 들었을 때는 느낌이 안 살아요. 너무 유치하고 나이브하게 들리죠. 제가 긍정적인 사람이 아니라서 그런 속담을 들으면, '아 뭐야' 이렇게 생각하는데, 이 한국어 속담을 읽을 때는, '아, 그렇겠다'는 생각이 들어요. 한국어의 마법일지도 몰라요."

　　한국어가 구멍이다. 애초에 있던 구멍을 운 좋게 찾은 게 아니라 그가 미세한 틈을 끈기 있게 파고들어 구멍으로 뚫어냈다. 태아처럼 밀고 나와 온몸으로 만들어낸 다른 세상을 향한 출구. "문학은 제가 가야 할 길이에요. 과학에서 잠깐 길을 헤맸다가 다시 왔어요" 하고 말하는 한 존재의 시작점.

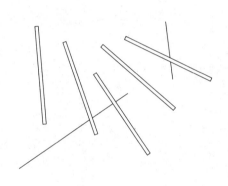

새벽

— 진부책방에서

결국 이야기란 한 사람이 다른 한 사람에게 하는 것이다.[1]

—가즈오 이시구로

엄마 이상 스피릿

"참 많은 일들이 있었지. 결혼하고 애 낳고 이혼하면서…… 네가 난독증일까 애태웠던 일, 처음 자전거를 가르쳤던 추억…… 그 뒤로 또 이혼하고 석사 학위 따고, 원하던 교수가 되고 사만다를 대학에 보내고, 너도 대학 보내고…… 이젠 뭐가 남았는지 알아? 내 장례식만 남았어……! […] 난 그냥…… 뭔가 더 있을 줄 알았어."

영화 〈보이후드〉의 한 장면으로, 대학에 입학해 집을 떠나는 아들에게 어머니가 하는 대사다. 이 영화는 같은 출연진이 12년에 걸쳐 촬영한 작품으로 유명하다. 영화에서 진짜로 애들이 자란다. 아역 배우는 청년이 되고, 성인 배우는 주름이 는다. 나는 아버지 역으로 나오는 에단 호크에 대한 애정으로 영화를 봤다가 어머니의 일렁이는 말에 몰입되어 눈물을 한 줌 쏟아냈다.

아, 삶이여. 여자의 일생이여. 가부장제의 경로에서 이탈을 꿈꾸는 나여. 이혼을 바라고도 하지 못한 나의 오지 않는 과거, 그리고 용감하게 배우자와 갈라서고 혼자 아이 키우고 일하며 사는 여자들의 삶이 영화 한 편에 다 들어 있었다. 아주 극사실주의로 보여준다. 인간으로 사노라면 '참 많은 일들'을 겪는다는 것. 이혼은 이사, 질병, 퇴사처럼 이전과 이후를 가르는 하나의 사건이지, 행이나 불행으로 평가할 일이 아니라는 것. 삶은 어제처럼 오늘도 살아내는 일이라는 것. 마지막엔 장례식만 남는다는 것을 빤히 알면서도.

새벽의 엄마는 작가를 꿈꾸었던 간호사다. 이혼을 하고 2001년에 아들과 함께 미국으로 이민을 갔다. 팬데믹 동안에 아시아계, 특히 중국계와 한국계 여성들이 길거리에서 공격을 당하는 일들이 일어났다. 애틀랜타에서 총기 난사 사건이 있었고, 마사지 및 스파 업소에서 근무하는 여성들이 피살을 당했다. 뉴욕에 있는 Asian American Writers' Workshop이라는 기관에서 아시아계 간호사나 의료계 종사자에 대한 이야기를 담는 스페셜 이슈를 기획했다.

새벽에게는 기회였다. 간호사인 엄마를 인터뷰하면서, 언젠가 한번은 꼭 듣고 싶었던 '엄마의 인생' 이야기를 들었다.

어머니는 미국에서 간호사로서의 첫 번째 경험을 들려주었다.

"나는 한 환자의 병실 문을 두드리고 그녀에게 처방 약을 주기 위해 문을 열었다. 환자는 미국 노부인이었는데 이 여성은 내가 들어서자 비명을 지르기 시작했다. 그녀는 너무

크게, 계속해서 비명을 질렀다. 병실에 있을 수 없어 나가니 간호조무사가 달려와 환자를 진정시켰다. 이 환자는 살면서 자신과 다른 피부색을 가진 사람을 본 적이 없는 것으로 밝혀졌다. 그녀는 나를 보고 충격에 빠졌다. 나는 다시는 그녀의 병실에 들어가지 않았다."

어머니가 전혀 티를 내지 않아서 몰랐는데, 병원에서 대놓고 당하는 인종차별이나 발음이나 피부색을 문제 삼고 넘어지는 미세효과(소수자를 향한 미세한 차별)의 상황은 예상보다 심각했다.

새벽은 '내 나이 때의 어머니' 이야기도 청해 들었다.

어머니는 결혼 전 오빠가 아프고 살림이 기울자 되고 싶었던 작가가 될지 아니면 가족을 부양할 수 있는 안정적인 직업을 찾아야 할지 선택해야 했다. 결국엔 간호사가 되었고, 가정을 꾸리고 아이를 키웠다. 그럭저럭 남들처럼 살고 있었지만 내면에 가둬둔 이타적이고 이상적인 삶에 대한 열망은 좀체 사그라들지 않았다. 그래서 여성에게 주어진 삶의 규범을 더 이상 숙명으로 받아들이지 않기로 결심했다.

"나는 여전히 더 많은 것을 추구하고 있었다. 그것을 찾고 싶었고, 더 넓은 세상으로 나가면 할 수 있지 않을까 하는 생각이 들었다. 나는 내 자신이 되기로 결정하자마자 미국에 가기로 결정했고, 너를 여기로 데려왔다."

목동 문제아 스피릿

　새벽은 서울에서 목동 키즈였다. 대한민국의 사교육 1번 지, 학원으로 포위된 중산층 동네에 살았는데 공부에는 크게 흥미가 없었다. 초등학교 3학년 때부터 학교도 학원도 자주 빠졌다. 만화방을 전전하고 용돈이 떨어지면 아파트 단지를 배회했던 전적이 있다. 열세 살에 미국에 막 살기 시작했을 때도 하던 대로 했다. 학교를 나가지 않았다. 그런데 한국과 달리 학교를 한 번 빠지니까 바로 전화가 왔다. Jack이 학교 에 안 왔는데 괜찮냐고. "여기서는 빠지면 잡혀가겠구나.(웃음)" 바로 상황을 파악하고 착실히 나갔다. 7학년 때 어렵기 로 소문난 사회학 시험이 있었는데 작정하고 통째로 외워서 100점을 받았다. 그 이후 공부법을 터득하고는 문제아에서 모범생으로 운명이 바뀌는데…….

　이야기를 듣던 나는 생각에 잠겼다. 애초에 새벽 어린이 는 어찌 그리 용감할 수 있었을까. 내 생각엔 학교를 가는 것 보다 가지 않는 게 더 어렵다. 무엇을 하지 않는다는 건 가만 히 있는 게 아니라 규범과 관성을 거스르는 일이라서 훨씬 많은 에너지가 소모된다. 오죽하면 마르그리트 뒤라스도 말 했다. "내가 아무것도 하지 않을 수 있었다면 나는 영화를 만 들지 않았을 것이다. 아무것도 하지 않을 수가 없어서 영화 를 만들었다"고. 그 어려운 '하지 않는 편'을 새벽 어린이가 택한 것이다.

나는 존경심과 의아함을 숨기지 않고 물어보았다.

"어릴 때 학교도 땡땡이치던 아이가 어느 날 마음을 잡고 공부하더니 하버드에 들어갔다, 뭐 이런 스토리 라인은 전형적인 위인전 서사 아닌가요?"

그가 씩 웃으며 말했다.

"어렸을 적에 위인전에서 특히 아인슈타인, 에디슨이 유년시절에 공부를 못했다는 걸 읽으면서 나중에는 나도 잘될 거야, 그런 생각을 했어요. 진짜."

새벽은 열아홉 인생에서 '잘되는 삶'의 이데아인 하버드생이 되었다. 처음엔 막연히 Pre-med(미국 대학의 학부생이 의대에 진학하기 위해 공부하는 교육 트랙)를 하고 의대에 가려는 계획을 세웠다. 이민자 1세대 아이는 안정성을 고려해 전문직으로 진로를 택하는 게 일반적인 관행이다. 실제로 하버드에서 주변 동아시아계 친구들은 다 의대, 의대, 의대 얘기를 할 정도였다. 그런데 "그때부터 갑자기 또 초등학교 때 싸돌아다니던 스피릿이 돌아오면서 '이건 싫어'라는 생각을 했다".

7분짜리 시 암송

첫 1년은 방황의 시기였다. 하버드에는 그처럼 평범한 가정에서 온 경우가 거의 없고 부유한 집안 아이들이 많았다. 그나마 좀 형편이 비슷하다고 생각한 친구도 부모님이 박사거나 쟁쟁한 학벌과 문화 자본을 갖추고 있었다. 주변에서는 여름에 멕시코 칸쿤에 놀러 가는 걸 아무렇지도 않게 말했다. 새벽은 자신이 계급적, 인종적 '외부자'라는 자각에 심적으로 부대끼는 날들을 보내고 있었다.

그때 한 친구가 말했다.

"시 창작 수업을 들었는데 그게 너무 좋더라."

그 말을 그가 붙들었다.

"시라는 걸 사람들이 아직도 쓰고 있는지도 몰랐고 창작 수업은 또 뭐지? 했어요. 시 창작 수업에 들어가려면 시를 써서 선생님한테 보여드리고 그다음에 선택을 받는 거라고 하더라고요. 또 갑자기 '해보고 싶다는 본능'이 튀어나와서 한 번도 써보지 않았던 시를 흉내 내서 냈는데 선생님이 받아주셨어요. 조리 그레이엄Jorie Graham이라고 퓰리처상도 받은 엄청나게 유명한 선생님이에요. 수업마다 서너 시간씩 근현대 시인의 작품을 자세하게 들려주셨고, 매주 시 한 편씩을 외워 오게 하셨어요. 제가 외우는 건 또 자신 있어서 일부러 장시들을 외워 갔어요. T. S. 엘리엇의 〈프루프록의 연가〉나 앨런 긴즈버그의 〈울부짖음〉 같은 시들요. 선생님한테 어필하려고 7분이나 낭송하고 그랬죠."

시 수업에서 조리 교수는 에즈라 파운드의 시 이야기를 하다가 지나가듯이 말했다. "시를 쓰고 싶은 사람은 번역을

배워라. 번역을 하면 시의 구성을 배울 수가 있다."

새벽은 속으로 쾌재를 불렀다. '난 한국어가 된다!'

그리고 그에겐 엄마가 있었다.

문학을 사랑하고 글쓰기를 좋아하는.

엄마에게 시 추천을 부탁했다. 그때까지만 해도 한국 시를 접할 기회가 없었던 그에게 엄마는 시 두 편을 보여줬다. 김지하의 〈타는 목마름으로〉와 김소월의 〈진달래꽃〉. 이어서 엄마는 "좀 이상한 시가 있다"고 말했다. 뭐가 이상한 시냐고 새벽은 물었다. 엄마가 이상의 〈오감도〉를 보여주었다. 보자마자 "완전 꽂혔다". 어둑한 내면에 성냥불이 확 그어지던 순간이다.

"한국의 다른 시인들에게서 느꼈던 것과는 너무나 달랐죠. 한 번도 보지 못한 실험적인 시였어요. 시제1호, 시제2호, 시제3호……. 시제1호랑 시제2호는 번역할 수 있겠다는 생각에 바로 번역해서 조리 교수님한테 보여드렸어요. 교수님이 '이런 시인이 있었다니, 너무나 대단하고 좋다. 네가 이걸 번역해야 한다'고 하셔서 그때 또 홀렸죠. 대단한 시인인 교수님이 하라니까 해야지, 하고 번역을 시작했어요. 그러는 와중에 시가 쓰고 싶어졌어요. 시라는 걸 더 잘 알고 싶었으니까요."

나도 생의 한 시절을 시로 버텼다. 시구를 연고처럼 바르거나 지폐처럼 넣고 다녔다. 시를 외우거나 베껴 쓰면서 하루치 불안을 달랬다. 그렇지만 시가 쓰고 싶을 정도는 아니었다. 감히 쓸 생각은 못 했던 것 같다. 그런데 시를 더 알기 위해 시를 쓰고 싶었다는 그의 말을 듣고 보니, 시에 대한 나의 사랑이 부족했나 돌아보게 되었다. 아니면 시가 나한테는 안 주었던 무엇을 그에게만 주었는지도 모를 일이다. 그래서 나는 조금 더 말해달라고 했다. 시가 당신을 어떻게 위무해 주었는지.

그는 잠시 생각에 잠기더니 '20세기 미국 시' 세미나의 기억을 꺼냈다.

"담당 교수인 피터 색스Peter Sacks 선생님이 인기가 많았어요. 수강을 희망하는 학생이 정원보다 몰려서 시험을 치렀고, 왜 시를 공부하고 싶은지 쓰라고 했어요. 저는 이렇게 썼어요. 20세기 초에 엘리엇이나 20세기 중반에 있던 긴즈버그를 보면, 한 명은 사회 부적응 소년이었고 또 한 명은 퀴어 유대인 시인이자 반체제적 인물이죠. 그들의 글을 읽었을 때 나의 마음에 와닿았는데 그걸 내가 더 설명하고 이해하고 싶다. 그 사람들이 지금 나의 무언가를 노래해 주는 것 같다고요. 1930년대에 살았던 비극적인 시인 이상도 그렇고요. 이 사람들의 글이 나에게 울림을 주는데, 그건 되게 본능적이고 진짜 몸으로 느끼는 거고 설명할 수 없는 무언가다. 왜 그럴까 그걸 알고 싶어서 더 시를 공부했어요. 근데 몇 년 뒤에 느꼈죠. 이게 설명이 힘들구나.(웃음)"

이상의 도시

성실하고 정직한 인간은 언제나 불가능한 것을 가능한 것으로 만들기 위해 싸운다고 했던가. 혼돈의 영역을 언어로써 조금씩조금씩 인간적 질서의 영역 속에 편입시키는 것이 예술가의 책무임을 나는 문학평론가 김현의 책에서 배웠다. 표현 불가능하니까 포기하는 게 아니라 표현할 수 있도록 성실하고 정직하게 노동하는 일.

새벽은 설명할 수 없는 것을 설명할 수 있는 언어로 구축하기 위한 여정을 이어갔다. 서울에서 미주리주 버틀러로, 코네티컷주 뉴헤이븐으로, 매사추세츠주 보스턴으로, 그리고 다시 서울로.

하버드를 졸업하고 서울로 유학을 왔다. 단순히 연습으로서의 번역만으로는 충분하지 않다는 것을 깨달았다. 한국문학과 이상을 공부할 기회를 찾아서 당시 이상 전집을 막 펴낸 권영민 교수가 있는 서울대학교 국문학 석사 과정을 택한 것이다. 지나고 나니 도대체 어떻게 졸업을 하고 나왔는지 가끔 궁금할 정도로 고생이 심했지만, 기꺼이 도움을 주었던 선후배 동료들의 사랑과 지지에 힘입어, 또 '끝을 보자'는 집념을 발휘해 2015년도에 이상의 〈오감도〉 연구로 석사 논문을 마쳤다.

"처음엔 제가 멍청해서 두려움이 없었죠. 대학교 1학년 때니까 뭐 한번 해보면 되지, 라며 도전을 했는데, 배우면 배울수록 내가 무슨 짓을 했는지 깨달음이 왔어요. 어느 시점에는 이상 번역이 확실히 두려웠어요. 감히 내가……. 그래서 2~3년 정도 번역에서 손을 놨었어요. 그런데 어느 날 최돈미 번역가가 인연에 인연을 거쳐서 연락을 했어요. '이상의 시를 번역하고 있다고 들었다. 같이 일해서 출판을 하자'고요. 그때 다시 번역을 해볼까 했죠."

사람의 일이란 게 이렇다. 혼자서 하는 것처럼 보여도 순전히 제힘으로 성사되는 일은 거의 없다. 사람은 관계의 날씨에 영향받는다. 도저히 못 할 것 같다고 굳어버린 마음도 적절한 계기가 주어지면 봄눈처럼 녹기도 한다. 최돈미 번역가가 한마디 말로 그의 마음에 온난 기류를 형성해 준 것처럼 말이다.

열아홉에 시작한 프로젝트, 장장 10년 동안 그를 번역이라는 세계에 묶어놓은 존재, 오죽하면 지난 10년 동안 형 같다고 느꼈던 사람, 이상의 목소리를 '언젠가는' 영어 독자들과 공유할 수 있기를 바라는 마음으로 청춘을 바쳐 매진한 번역 작업은 2020년도에 《Yi Sang: Selected Works》로 출간되었다. 그의 나이 서른둘 때다.

섀도복싱과 아이네이스

나는 《이상 전집》을 구비하고 있는데 우리 집 책꽂이의
가장 높은 칸에 꽂혀 있다. 밑줄 긋고 낭독하고 세미나도 했
으나 이게 제대로 읽은 건지 분간이 가지 않는 시집이고, 와
락 와닿지는 않는 시인이다. 모국어 생활자인데도 이토록 애
를 먹는 이유는 이상 시의 특징인 형식과 문법의 파괴 때문
일 것이다. 특히 이상은 한국어 문법의 띄어쓰기 규칙을 거
부한 것으로 유명하다. 한국어로도 어려운 시를 새벽은 어떻
게 무슨 수로 번역했을까.

한국어와 영어, 두 언어는 문법 규칙이 다르다. 이상의
한국어 시는 단어와 절이 다닥다닥 붙어 있다. 반면 영문법
에서는 모든 단어 사이에 공백을 넣어야 한다. 이런 차이와
한계에도 불구하고, 그 이상한 시, 이상의 시를 그가 번역했
다. 어떻게 했냐면, 한국어 시에는 없는 사이 띄기를 영어 시
에는 넣는 식으로 했다.

꽃나무

벌판한복판에 꽃나무하나가있소 근처에는 꽃나무가하나
도없소 꽃나무는제가생각하는꽃나무를 열심으로생각하는것
처럼 열심으로꽃을피워가지고섰소. 꽃나무는제가생각하는꽃
나무에게갈수없소 나는막달아났소 한꽃나무를위하여 그러는

것처럼 나는참그런이상스러운흉내를내었소.

Flowering Tree

On an open field　a flowering tree stands　with no other like it　nearby　the flowering tree blossoms with a burning heart as if thinking of　another flowering tree　burns its heart.　The flowering tree cannot reach the tree flowering in its thoughts　I wildly fled　for the sake of　one flowering tree　I truly did such weird mimicry.[2]

이상의 〈꽃나무〉를 이렇게 번역한 이유에 대해 그가 설명을 붙였다.

이상의 띄어쓰기 사용 거부는 중요한 의미를 내포하고 있다. 번역가 최돈미는 "이상의 문장은 압축되어 공기가 통하지 않고, 단어 사이에 틈도 거의 남기지 않고 음절로 표현된다"고 썼다. 실제로 띄어쓰기가 없는 이상의 시구에는 맹렬한 소리의 난입이 있다. 각 음절은 기관총의 총알처럼 발사된다.

그러나 영어에서는 단어 사이의 공백을 제거하면 소리와 문장의 의미를 이해하는 속도가 상당히 느려진다. 소리의 경험은 즉시 오지 않는다. 나는 (시각적 충실도보다) 이상의 시를 번역할 때 언어를 이미지화하는 그의 놀라운 감각, 그리고 이러한 이미지가 시 안에서 상호작용하는 방식을 빠르게 영어로 옮기는 것을 우선시해야 한다고 믿었다. 그래서 번역할 때는 공백을 사용했다. 그리고 빠른 음절의 감각을 재현하기 위해 가능한 한 단음절 단어를 사용하는 것으로 제한했다. 그런 다음 예상치 못한 순간에 구두점과 느낌표를 추가했다. 영어에서는 짧은 문장이 차례로 나오도록 하고 감탄사로 행동의 흐름을 빠르게 바꾸는 것이 더 쉽다는 것을 발견했다.

대략 추린 내용인데, 이것을 읽고서야 나는 조금 이해했다. 이런 게 번역이구나! 어쩐지 《Yi Sang: Selected Works》에서 내가 좋아하는 〈오감도〉 시제3호를 펼쳐봤을 때 알파벳이 한 줄로 가는 개미처럼 다닥다닥 붙어 있지 않고 사이 띄기가 되어 있었다. 그의 판단으로 공백을 넣은 것이다.

"저도 처음에는 번역을 잘하려면 원문 그대로를 가져와야 한다고 생각했어요. 문장구조부터 단어 하나하나까지 일대일로 완벽하게. 근데 그럴수록 더 나쁜 번역이 되더라고요. 원문에서 더 멀어지고 새로운 창작도 아닌 이상한 구조물이 만들어졌죠. 그래서 내가 이해한 느낌이나 구조를 제대로 표현하려고 했어요. 새도복싱을 할 때처럼, 저도 원문에 맞춰서 움직이고, 영어에서 할 수 있는 것들을 찾으면서 같이 춤을 추는 것 같아요. 번역을 하면 그런 느낌이 들어요. 네가 이렇게 했으니 나는 이렇게 한번 해보겠다. 번역은 가장 깊게 읽고, 해석하면서 동시에 창작하는 일이죠."

이상 시의 난해함을 보존하는 문제도 고민이 길었다.

"이상 읽기에서 난해함은 중요하고 그게 이상의 추구였죠. 그래서 제 안에서 한쪽은 난해함을 살려야 한다고 얘기하고, 다른 한쪽은 영어에서 이상 시의 어려움을 재현하는 게 과연 가능한가, 다른 언어에서까지 어려움을 다시 만들어야 할 이유가 무엇이냐고 말해요. 답이 없어요. 여기에 대한 답이 선명하게 끝까지 안 나오더라고요. 영문학에도 난해한 작품들이 많은데, 여기에 굳이 또 하나를 올려야 하나.

제가 영어로 번역한 이상 시가 아마 한국어로 읽는 이상보다 훨씬 쉬울 거예요. 어려운 한자나 문장을 쉽게 풀어 쓴 부분이 있고, 그렇게 했을 때 이상의 어떤 면모가 살아나서 독자에게도 좋은 반응을 불러일으키는 거 같아요. 제가 이상의 모든 걸 다 잡았다고 말할 수는 절대 없고요. 대신에 어떤 면이 잡혔기 때문에 그게 클릭이 된 거겠죠."

새벽은 한 인터뷰에서 번역에 관한 메타포로 베르길리우스의 장편 서사시 《아이네이스》를 빗대어 말했다. 죽은 아내를 안기 위해 세 번이나 시도했지만, 망령을 붙잡으려는 시도에 그친 것처럼 "번역가는 자신의 원본 텍스트에서 가장 좋아하는 것을 가져올 수 없다는 것을 받아들이는 법을 배운다"고.

번역법에 대해 마저 이야기를 나누었다.

"번역을 어떻게 시작하세요?"

"번역 과정이 따로 있지는 않아요. 근데 머릿속에서 시의 첫 줄 번역이 만족될 때까지 아무것도 쓰거나 타이핑하지 않아요."

"번역을 끝내는 시점은 어떻게 정하세요? 글쓰기가 시작만 있고 뚜렷한 끝이 없는 일이잖아요."

"열심히 하다가 내 능력의 한계는 여기까지구나, 다른 사람이 더 잘해내겠지라고 속으로 비비 꼬면서 포기해요."

하버드의 아시아 시인

"당시 인터넷에 'I Saw You' 같은 웹사이트가 많았어요. 익명으로 '너를 어디 어디서 봤는데 마음에 들었다, 어디로 나와라' 그런 걸 쓰는 데죠. 한번은 4년 동안 가장 친하게 지냈던 제 룸메이트가 갑자기 엄청 크게 웃는 거예요. 무슨 일이냐고 물었더니, 친구가 말하길 'I Saw You Harvard'에 'I saw you, asian poet'이라는 글이 올라왔대요. '하버드 인문학과가 다 모여 있는 빌딩에서 교수님하고 이야기하는 너를 봤다, 왜 너는 나를 쳐다보지 않니, 나를 쳐다봐 주면 내가 너한테 시상을 줄 수 있을 것 같은데'라고 썼대요. 처음엔 저도 저 말고 다른 아시아 시인이겠지 그랬는데, 룸메이트가 그러더라고요. '너 말고 누가 있는데?'"

하버드의 유일한 아시아계 시인. 새벽의 정체성 중 하나다. 2011년에 졸업할 때 소설은 몇 명 있었지만, 시를 전공하는 동아시아계 학생은 그뿐이었다. 하버드는 창작 논문으로 졸업이 가능하다. 시집이나 소설집을 만드는 선택지가 있어서 창작을 고민했지만 연구로 방향을 틀었다. 고전 수업을 듣다가 하필이면 존 던 같은 17세기 영미 시인에 빠졌다. 배울 수 있는 것 중에서 가장 어려운 게 그 당시 시였다. 단어도 어렵고 문법도 다르고, 17세기 영미 시에 집중하다 보니까 결국 졸업 논문도 존 밀턴에 대해서 썼다.

"시를 쓰고 싶었던 마음이 조금 사그라졌어요. 못 쓴다고 생각했거든요. 영어가 모국어가 아닌 내가 과연 쓸 수 있을까? 어느 선생님도 저한테 그렇게 말한 적 없는데도 저 혼자 원어민이어야지 시를 쓰는 게 아닌가, 그런 생각을 했어요. 그러다가 4학년 마지막 학기에 다시 조리 선생님의 창작 수업을 듣게 됐어요.

어느 날, 여태 쓴 시는 시 같지도 않아서 고뇌의 밤이 왔어요. 내가 느낀 4년 동안의 외로움과 사무침을 어떻게 표현할까 하다가 밤을 한번 샜어요. 새벽 4시까지 시를 썼는데요. 처음 시를 쓰고 싶었을 때의 느낌이 왔어요. 조리 선생님 수업에서 어머니의 눈동자를 묘사하는 짧은 이미지 시를 썼는데, 그때 선생님이 이렇게 행갈이를 하고 이 연을 이쪽으로 움직이고 이러면 이렇게 시가 된다고 했죠. 그러자 갑자기 너무나 단순했던 저의 시에 음악이 생기고 운율이 생겼어요. 단어를 안 바꾸고 구성만 바꿨는데 갑자기 시가 됐죠.

나도 너무 그렇게 하고 싶은데 그걸 못 하다가 그날 밤 새벽 4시까지 혼자서 조립하고 다시 붙이고 하는데……. 어느 순간 뭐가 나오네? 싶더라고요. 그러고 나서 그 에너지로 막 몇 편을 더 썼어요. 그걸 가지고 가니까 조리 선생님이 '드디어 시를 썼구나' 하셨어요. 아직도 사무치는 게 '어머니 눈동자 시'를 어디다 뒀는지 모르겠어요. 대신에 그때 썼던 다른 작품은 최근에 온라인에 공개됐어요. 새벽 4시까지 쓴 여러 편의 시들이죠."

새벽은 2017년부터 2019년까지 아이오와 작가 워크숍 'MFA in Poetry'에서 트루먼 커포티 장학생으로 시학 석사를 받았다. 시를 공부하고 시를 번역하고 시를 쓰는 삶. 여기에 필연처럼 하나가 더해졌다. 시를 가르치는 삶. 그는 데이비슨칼리지 영문학과에서 문예창작과 기초 수업 등을 가르치고 있다.

새벽의 김혜순

그는 김혜순 시인의《않아는 이렇게 말했다》를 번역 중이다. 2022년에 서울에서 시인을 만났을 때 얻어 온 행운이다. 얼굴을 뵙고는 "저, 선생님의 글을 번역하고 싶습니다"라고 고백했고, 시인은 수줍은 듯 열의에 찬 젊은 번역가에게 제안했다. "그렇다면《않아는 이렇게 말했다》를 한번 해보지 않겠어요?"

더 거슬러 올라가 그는 이미 김혜순 시인과 내적 친밀감이 형성되어 있었다. 김혜순 시인과 어머니가 같은 원주여고 출신이다. 3년 후배인 어머니가 학창 시절에 글쓰기에 관심을 보이자 국어 선생님이 '너의 선배 중에도 글을 쓴 사람이 있으니까 너도 글을 쓸 수 있다'고 말해주었다. 그 얘기를 엄마한테 전해 들었던지라, 훗날 석사 과정을 밟기 위해 한국에 갔을 때 김혜순의 시집을 가장 먼저 구입했다. 시인의 위상을 알아서라기보다 그냥 '엄마의 고등학교 선배 시인'이라서 고른 것이다.

그즈음 미국에서도 최돈미의 번역으로 김혜순의 시집들이 막 출간됐다. 미국의 훌륭하지만 작은 출판사에서만 나왔고 주요 출판사에는 아직 알려지지 않았는데, 점차 미국 내에서도 김혜순의 시를 보고 '이런 시는 처음이다'라는 열광이 돌기 시작했다. 김혜순은 현재 영미권 독자들에게 가장 잘 알려진 한국 시인으로 꼽힌다. 어떤 매력에 독자들이 반응하는 것일까.

"미국에 있는 여성 시인이나 페미니즘, 퀴어 정체성으로 투쟁하며 시 쓰는 친구들한테 김혜순의 글이 상당히 큰 감명을 남겼어요. 육체와 연속성이 해체되고 새롭게 도약하는 표현들이 미국 시에는 없었던, 뭐랄까 날것의 이미지를 가지고 왔다고 해야 할까요. 카프카가 말한 내면의 얼어붙은 바다를 깨뜨리는 도끼 같은 역할을 한 거죠.

억압된 한을 직접적으로 표현하지 않고 포멀하게 딱 잡고 있는 미국문학의 주된 태도를 김혜순이 혜성처럼 나타나서 폭발시킨 거예요. 김혜순의 시는 이런 표현도 가능하구나, 나중에 생각하게 해요. 또 다른 지점은 최돈미 선생님의 번역이 상당한 역할을 했죠. 작품들을 영어로 소화해 재탄생시켰으니까, 미국 독자들이 아는 김혜순은 최돈미의 김혜순이죠."

새벽의 김혜순은 또 어떤 작품으로 태어날지 기대가 된다. 김혜순도 만만치 않은 초현실주의를 구가하는 시인이다. 나한테는 이상만큼은 아니어도 읽기가 쉽지 않았다. 그런데 그는 왜 이렇게 난해한 시인에 매혹되는 것일까. 시 공부를 많이 하면 어려운 번역도 수월해지는 것인지 궁금했다.

"'학문하고 연구하는 정새벽'이랑 '번역하고 창작하는 정새벽'이 구분되어 있어요. 번역은 아직도 어린아이 같은 정신으로 그냥 한번 해보자는 마음이 있고, 이 친구가 난리를 쳐놓으면 공부하는 정새벽이 나타나서 '야! 야! 그렇게

하면 안 돼'하며 둘이서 싸우는 느낌. 어린 정신을 살려놓으려는 노력이 번역하는 사람들, 창작하는 사람들이 하는 모험인 것 같아요. 언어를 장난감으로 생각하기. 언어를 가지고 소리로도 놀아보고 의미로도 놀아보고. 글쓰기는 어느 시점에서 문장구조를 훈련받잖아요. 이렇게 해야 좋은 문장이다, 나의 생각과 주장을 펼치는 법을 논술로 배우는데, 그 전에 말과 소리를 가지고 낄낄거리는 놀이를 유지하면 번역에 도움이 돼요."

그만의 난해 시 번역법을 물어보았더니 언어를 장난감으로 여기라는 답변이 돌아왔다. 하하하. 내겐 마치 다시 태어나야 한다는 말처럼 들렸지만 말뜻은 접수했다. 피카소가 "내 평생의 반은 어른이 되기 위해 노력했고 나머지 반은 어린이가 되기 위해 노력했다"고 말했는데, 그런 이치 같다. 기억해 두고 싶은 말이다. 시인은 언어가 장난감인 어른이라는 것.

그를 비롯해 한국문학 번역가들이 혼신의 힘을 다해 내놓은 한국문학이 미국에서는 어떤 반응을 얻고 있는지 이야기를 들어보았다.

"아직 미국 문단에서 한국문학이 자리를 잡았다고 하기는 어렵죠. 일본문학도 상당히 인정받고 있지만 한편으로는 무라카미 하루키가 관심의 대부분이고요. 문학 책을 찾는 분들은 예술영화 보러 가는 분들과 비슷한 그룹이에요. 독립영화 보는 사람들이 번역서도 사서 읽잖아요. 번역된 한국문학이 이분들께 사랑받으면서 조금씩 위치를 확보하고 있다는 느낌이 있습니다.

시는 김혜순 시인이 확실히 많이 읽히고, 소설은 번역가 데보라 스미스를 통해 한강 소설가가 가장 많이 알려진 편이고, 또《엄마를 부탁해》를 통해서 신경숙 작가님이 알려졌고요. 이번에 정보라 작가님의《저주토끼》가 미국에서도 출판됐는데 벌써 상당히 주목받고 있어요."

"어떤 점이 미국 독자들의 마음에 가닿았을까요?"

"미국의 시선에서《엄마를 부탁해》는 동양적인 가족의 모습이고,《채식주의자》는 극단적인 여성 경험을 보여주죠. 독자들 반응 중엔 자신의 경험을 비로소 이 책에서 온전히 느낄 수 있었다는 얘기가 많았어요. 미국 작가들이 잘 가지 않거나 아니면 가야 한다고 생각하지 못했던 어떤 부분들을, 인간 경험의 핍진한 부분들을 한국 작가들이 건드리고 있는 게 아닌가, 탐험하고 있는 게 아닌가, 이런 생각을 하는데요. 정확하게 말씀드리려면 더 연구를 해야겠죠."

"혹시 한국 독자들에게 전하고 싶은 말도 있으세요?"

"세계로 알려지는 한국문학이 언제나 내가 원하는 모습일 수는 없다는 것을 이해해 주셨으면 좋겠어요. 우리가 생각하는 최고가 당연히 세계에서도 넘버 원을 찍어야 한다고 생각할 수 있는데 전혀 그렇지 않죠. 차라리 세계가 한국문학에서 다른 것들을 좋아하고 받아들였을 때 의심도 해봐야겠지만 한편으로는 아 이게 우리의 모습일 수도 있구나, 아니면 우리의 모습이었구나를 생각하는 계기로 봐주셨으면 좋겠어요."

나는 누구인가

　새벽의 번역 계획은 줄줄이 이어진다. 김혜순 시인의 작품을 마치면 그다음에는 '이상 소설' '김수영 시집' '김소월 시집' 셋 중에 하나를 택할 예정이다. '오규원 작품'도 약속되어 있다. 요즘 젊은 시인에도 관심이 있지만 이미 다른 번역가들이 하고 있어서 기회를 놓쳤다고 했다. 그는 하버드에서 르네상스시대 고전 영시를 전공했다. 그에게 왜 이리 옛날 시인을 좋아하는지 물었더니, "제가 아무래도 고전에 대한 페티시가 있는 것 같아요. 한문을 배웠으면 더 옛날로 넘어갔겠죠" 한다.

　"안 돼요! 그만 내려오세요.(웃음)"

　"그런데 문학의 뿌리를 찾는 일에 관심을 갖고 계시잖아요. 이유가 있나요?"

　"멋있는 이유라기보다는 이민도 오고 이사도 자주 해서 나는 누구인가를 찾기 위해서 시작했던 것 같아요. 김소월이나 이상은 제가 아는 한국어로 거슬러 올라가서 찾을 수 있는 시인이니까, 출발점이죠. 거기서 무언가를 내 것으로 만든다면 나도 새로운 시발점을 만들어낼 수 있지 않을까, 그런 욕심도 있습니다."

나는 누구인가를 찾기 위해서, 라는 그의 말에 정신이 번쩍 났다. 새벽은 누구인가. 나는 당연히 한국 사람이라고 생각했던 것 같다. 그는 능숙한 한국어를 구사한다. 한국어로 석사 논문을 써냈고, 인터뷰를 위해 무리 없이 두 번의 깊은 대화를 마쳤다. 그런데 생각해 보니, 그는 또 미국인에게 영어로 시를 가르친다. 시인으로서는 영어로 시를 쓴다. 나는 다른 건 몰라도 시를 영어로 쓰면 미국 사람인가? 하는 의문이 들었다. 행정 차원의 국적 문제라서가 아니라 문득 궁금해졌다. 조심스럽게 질문을 던졌다.

"혹시 나는 미국 사람인가 한국 사람인가 하는 생각은 안 하시나요?"

"언제나 하는 것 같습니다. 처음에는 고민했는데 이젠 그냥 내가 두 아이덴티티 사이에서 계속 불안과 사랑을 동시에 가지고 살아야 한다고 생각하게 됐어요. 이러한들 어떠하고 저러한들 어떠하리 식으로요. 양극적인 것들이 가끔 가다 느껴질 때 그것을 같이 감싸 안는 편이에요. 오히려 요즘은 양극을 가졌다는 게 축복이라고 생각해요."

"이런 진동하는 삶을 수용하는 데 문학이 도움을 주었을까요?"

"그런 것 같습니다. 맞아요. 어머니가 하셨던 말씀이 생각나네요. '네가 좀 더 편안한 가정에서 곱게 잘 자랐으면 글은 안 썼겠지.'"

"미국 작가들이 잘 가지 않거나 아니면 가야 한다고
생각하지 못했던 어떤 부분들을, 인간 경험의 핍진한 부분들을
한국 작가들이 건드리고 있는 게 아닌가, 탐험하고 있는 게 아닌가."

엄마의 셰익스피어

번역가, 시인, 그리고 교수.

그가 서른다섯 살까지 일궈놓은 직함들을 관통하는 핵심은 두 가지다. 하나는 시. 또 하나는 엄마. 가히 끝이 없는 공부, 가없는 사랑이라고 할 만한 문학에 대한 애정, 그리고 '시에 투신한 삶'의 작은 전환점마다 늘 엄마가 등장했다.

인터뷰를 하면서 나는 누가 등이라도 떠미는 것처럼 그의 엄마의 자리에 누워보곤 했다. 문학을 사랑했고 작가가 되고 싶었던 사람. 그런 엄마가 반 발짝 앞서서 아들의 발아래 책을 놓아주며 길을 냈다. 아들은 영문학자이자 작가로서 엄마가 열망한 삶을 얼마간 이루었다. 그 모습을 지켜보노라면 아릿한 회한도 있었겠지만 뿌듯함도 컸으리라. 아들이 문학을 공부해서 엄마가 참 좋으셨을 것 같다는 나의 말에, 그의 얼굴이 환해지고 목소리도 밝아졌다.

"가장 즐거웠던 것 중의 하나가 영문학 수업을 들으면 엄마한테 그걸 그대로 얘기해 줬어요. 셰익스피어 수업은 특히 너무 좋아하셨죠. 어머니는 성경처럼 두꺼운 셰익스피어 책도 사서 읽으셨어요. 셰익스피어의 희극 《뜻대로 하세요》에는 보통 사람들의 소소한 이야기가 나와요. 셰익스피어가 그런 것까지 얘기했다는 걸 처음 아셨죠. 거기에서 어떤 노집사가 늙음에 대해서 이렇게 얘기하는데요. "Therefore my age is as a lusty winter(그러므로 나의 나이는 만개한 겨울과 같다)."

어머니가 그걸 읽더니 이건 진짜 엄청난 표현이다, 하면서 많은 얘기를 하셨어요. 수업에서 배우는 대로 매번 얘기해 드렸어요. 어머니와는 거의 매일같이 대화를 했죠. 그렇게 하는 게 저도 너무 좋았어요."

이 글의 서두에 나온 새벽이 진행한 인터뷰에서 간호사인 엄마는 이런 계획을 밝혔다. "때가 되면 은퇴할 것입니다. 그리고 나 자신을 위해 살고 싶습니다"라고. 2001년에 자기 자신이 되기 위해 아들과 단둘이 넓은 미국 땅으로 건너왔을 때의 다짐이 그에게 여전히 살아 있다는 사실이 나는 너무 좋았다.

새벽은 나에게 몇 번이나 지나가는 말처럼 '인터뷰할 사람은 내가 아니라 엄마'라고 말했지만, 이미 그의 서사에서 엄마의 존재를 분리하기란 불가능했다. 그는 엄마가 던진 말을 흘려버리지 않고 보존하는 삶을 살았고, 그것은 시 안에 영구히 남았기 때문이다.

"작가로 살지 않더라도 이 세상에서 좋은 사람으로 살수 있는 방법에 대해 계속 읽고 생각합니다. 나는 내 감수성을 유지하고 정신을 바짝 차리고 싶고, 그렇게 하는 게 정말 중요하다고 생각합니다."

이것은 누구의 말일까.

박술

—부비프에서

사실 철학은 시로만 쓰여야 한다.[1]

—비트겐슈타인

아름다움 교섭하기

헤르만 헤세를 탐독하던 열일곱 살 한인 소년 박술은 독일 남부 흑림이라는 큰 숲에 자리한 보수적이고 카톨릭적인 분위기의 기숙사 학교에 나 홀로 떨어졌다. 학교에는 귀족 자제가 많았고 인종차별이 매일 일어났다. 거기에 대치해서 싸워야 했다. 고립되면 생존 불가. 소년이 찾은 답은 단순했다. "독일인이 되자."

일단 사전을 외웠다.《프라임 독한사전》에 별표 쳐진 단어부터 시작해 'S'쯤 가니까 말이 통했다. 독일에서의 첫 기억은 기숙사에 도착했을 때, 다음 기억은 친구가 "이제 독일어를 다 알아듣네"라고 말했을 때다. 그사이 한 달 반 정도의 기억이 사라졌다. 하지만 무수한 독일어 단어를 모국어 익히듯 외우고 입으로 처음 말한 순간들, 삶으로 들인 정황은 아직도 생생하다. 11학년(고2) 철학 수업에서 선생님과 같이《차라투스트라는 이렇게 말했다》를 읽었다. 강렬함에 압도되었다. 마치 나처럼 듣는 사람이 없는데도 고함치듯 말한

다는 느낌을 받았다. 머릿속에서 니체가 말하는 환상이 생겼
다. 니체의 잠언투 어조는 삶의 지혜를 알려주는 예언자 같았
고, 독일어를 100퍼센트 받아들일 준비를 하고 있던 소년의
몸에 물처럼 들어왔다. 일기의 문체가 니체의 문체로 점점 바
뀌었다.

　그러면서도 "입 안에 침이 고이듯 한국말이 고였다". 양
쪽 세계에 낀 상태로 나 자신을 설명해야 할 것 같은 순간이
많았다. 동시에 두 개의 언어를 하고 싶었다. 그때마다 번역
과 번역에 준하는 행위를 하면서 버텼다. 두 언어를 붙였다
뗐다 넣었다 바꿨다, 접합과 교환을 시도하며 견뎠다. 오
직 죽은 사람의 글에서만 따뜻함을 느꼈다. 특히 파울 첼란
의 아포리즘에서 큰 위로를 받았다. "우월한 힘 앞에서는 굽
혀라. 하지만 포로가 되어서는 알아들을 수 없는 언어를 말
하라."

　"언어는 도망갈 수 있는 출구 같은 거예요. 저의 '알아
들을 수 없는 언어'는 한국어인데 반대로 독일어이기도 하
죠. 한국에 있으면 독일어로 일기를 쓰고요, 독일에 있으면
한국어로 일기를 썼어요. 아무도 못 읽게 하려고요. 오늘 일
어난 사건에 등장하는 사람들이 이해하지 못하는 방식으로
글을 쓰는 게 되게 위로가 돼요. 비밀 언어죠. 통쾌한 면도
있고, 저 자신한테 따뜻한 면도 있고요. '니들은 한국어 모르
잖아' 하면 되니까 치사하지만 그래도 살아남을 수 있어요."

번역 욕망은 시

박술은 뮌헨대학교에서 문학과 철학을 공부하면서 제대로 된 번역을 처음 경험했다. 같이 살았던 한국 친구가 시분과(문예창작학과) 출신이어서 고트프리트 벤을 한국어로 번역해 보자고 했다. 직접 시를 써보지 않으면 번역할 수 없을 것 같았다. 친구가 도와주겠다고 해서 시를 썼다. 그것이 시가 완성되는 첫 경험이었다.

"그러면 번역도 완성될 수 있겠구나 생각했죠. 시는 쓰면서 딱 되는 순간이 있잖아요. 그 느낌을 번역에 적용하기 시작한 거죠."

습작 시 열 편을 한국의 문예지《시와 반시》에 보냈다. 《시와 반시》는 그가 유학 가기 전에 본 유일한 문예지로 고등학생 때 "제목이 멋있어서" 샀다. 문득 생각나서 검색해 봤더니 마침 신작 시 응모 기간이었다. 며칠 후 전화가 왔다. "박술 씨죠? 본명이시죠?" 박술은 2012년에《시와 반시》에서 신인상을 받았다. 얼결에 등단의 영예를 안은 것이다.

"당시에는 되게 예술가 놀이에 쉼취했었죠.(웃음) 한국 문단을 모르니까 동경하고 상상과 달라서 실망도 하고요. 시를 쓰고 싶기도 하고, 반대로 예술가 놀음 때문에 시가 잘 안 나오기도 하고, 이방인이 된 거죠."

"독일에서도 한국 시를 계속 읽었어요?"

"한국에 올 때마다 시집을 잔뜩 사 갔어요."

"어떤 시인을 읽었어요?"

"기형도를 가장 좋아했고, 신동엽, 김수영, 정호승도 좋아했어요. 대학에서 시를 쓸 때는 조연호를 많이 읽었죠. 조연호의 언어가 너무 아름다웠어요. 처음 보는 언어였어요. 다음에 바로 든 생각은 독어로 옮기고 싶다. 이 문체도 독어로 만들어서 가지고 싶다. 항상 그게 있어요. 좋은 거 보면 이거 바꿔서 내가 가져야지!"

"한국어로만 읽으면 가진 것 같지 않은 거예요?"

"가진 것 같지 않죠. 독일 친구에게 보여주고 싶다는 마음이 있어요."

"번역가들은 번역 욕망이 다 강한 거 같아요. 이거 번역해야 돼! 친구와 나누고 싶어! 누가 시키는 것도 아닌데요."

"번역 욕망! 맞아요. 약간 식욕 같아요. 내 안으로 넣는 거잖아요. 갖고 싶다는 소유욕."

"시도 두 언어로 쓰세요?"

"시도는 했어요. 지금도 연습을 하는데 독어로는 시를 못 쓰겠어요. 산문은 돼요. 시는 절대 안 돼요."

"왜 그렇죠?"

"이게 의수 같은 거라서 아무리 잘해도 약간 섬세함이 떨어지고, 감정이랑 정확히 연결이 안 되고, 뭔가 한번 사고 필터를 거쳐서 들어가는 게 있는데, 그게 넘어가는 순간 유동성이 사라지는 것 같아요."

"독일어 시와 한국어 시가 많이 다른가 봐요?"

"시형 차이가 있죠. 한국 시는 대부분 산문시잖아요. 행
갈이한 산문이거나 '~다'로 라임이 맞는 시죠. 음악성이 별
로 없고 눈으로 읽는 시라고 생각하는데, 독일어 시는 음악
성이 있어야 하거든요. 한국어를 독일어로 번역할 때 리듬을
만드는 게 어렵죠. 반대로 음악성은 포기하면 되니까 독일어
를 한국어로 번역하기는 상대적으로 쉬워요."

그는 번역을 하기 위해서 시를 썼다. 지금은 시 창작이
생활의 중심에서 멀어졌지만 번역을 통해 여전히 시를 맛본
다. 별것 아닌 말도 번역하면 시 같아서 좋다며 "시를 쓰는
제일 쉬운 방식이 번역"이라고 조언한다. 어떤 문장이든 번
역을 거치면 낯설어지고 시적으로 변화할 수 있다는 거다.
예를 들어, 독일어 'Guten Morgen'은 '안녕하세요'인데,
'Gut'라는 단어를 추적하면 '신'이고, 'Morgen'은 '아침'이지
만 '내일'이라는 뜻도 있다. 번역하면 '신적인 내일'이 된다.
어원까지 들어가면 문장구조가 낯설어지면서 아름다워진다.
언어의 낯선 아름다움을 창조한다는 면에서 그에게 번역과
시는 가깝다. 시를 쓸 때도 받아 적는 느낌으로 쓴다. 산문이
문장 단위라면 시는 단어 단위로 작업이 이뤄진다. 단어 하
나하나를 최대한 충실하게 받아 적는다는 점에서 박술에게
는 시와 번역이 다르지 않다. 그렇다면 '시를 잘 번역했다'는
기준은 무엇일까.
"시 번역은 결과물이 시여야 하죠. 결과물이 아름답지

않으면 의미가 없고 오히려 원본보다 아름다워도 돼요. 번역은 도착어가 아름답게 느껴져야 되니까 저는 심한 직역도 허용해요. 출발어에만 있고 도착어에는 없는 구조를 억지로 넣는다거나, 문장구조든 단어 모양이든 낯선 게 들어오는 게 좋아요. 이 언어로 쓰일 수 없는 외향을 가지되 아름다우면 좋겠어요."

시 안 읽는 독일인의 K-팝 팬픽

탐미주의자 박술은 출발어와 도착어를 쌍방향으로 능숙하게 다루는 번역가다. 유럽의 대표적인 표현주의 시인 게오르그 트라클의 《몽상과 착란》, 독일 낭만주의 시인 노발리스의 《밤의 찬가/철학 파편집》을 한국어로 옮겼다. 백은선과 신해욱 등의 한국 시선 번역 프로젝트를 맡았고, 김혜순 시인의 《죽음의 자서전》을 동료와 함께 독일어로 옮기는 중이다. 한국 시를 독일어로 번역할 때의 어려움에 대한 이야기를 들었다.

"한국 현대시는 기본적으로 산문시라고 볼 수 있어요. 서구어로 된 시는 현대시라고 해도 발음, 리듬, 라임에 의존하는 부분이 있다는 점에서 달라요. 한국 현대시를 보면 마침표와 쉼표를 거의 사용하지 않거든요. 호흡이나 리듬이 상대적으로 덜 중요하고, 이미지와 말투의 미세한 변화로 시

"언어는 도망갈 수 있는 출구 같은 거예요.
저의 '알아들을 수 없는 언어'는 한국어인데
반대로 독일어이기도 하죠."

적 리듬이 만들어져요. 예컨대 경어와 평어를 오가기도 하고, 혼잣말과 대화체를 오가기도 하지요. 시 번역에서 가장 큰 문제는 문장의 주어나 화자를 특정할 수 없는 경우예요. 한국어는 문맥 안에서 주어가 정해지고, 또 화자를 애매하게 내버려 두어도 아무 문제가 없어요."

어떤 시에서는 누가 어느 문장을 말하고 있는지 명확하지 않기도 하다. 대화를 하고 있는 것 같기는 한데, 어디까지가 화자의 말인지 특정할 수가 없다. 시적 화자가 대화에 함께 끼어들어 말하는 건지, 제3자들이 말하는 건지. 그렇다고 그대로 독일어로 옮기면, 아예 읽을 수 없는 텍스트가 되어버린다. 독일어에서는 누가 무슨 말을 하는지 알 수 없는 상황은 용인되지 않는다. 그렇다고 따옴표를 넣어버리면 시가 아니게 된다. 그래서 박술은 원문에는 없는 이탤릭과 하이픈을 써서 화자를 구분한다.

"한국어 독자는 대부분 독일에 대한 이해가 있어요. 독일인, 독일 철학에 대해 단편적인 지식이 있고, 또 한국에서 서양 문화를 수용한 역사가 길기 때문에 기댈 데가 많아요. 근데 한국어를 독일어로 번역할 때는 모든 걸 처음부터 해야 해요. 시적허용을 할 수가 없고 도착어에 많이 붙어서 가야 하죠. 받아쓰기하듯 한국어의 아름다움을 그대로 살리는 식으로 가면 독일어권 독자가 볼 땐 '이게 뭐야?'밖에 안 돼요. 주석 작업도 많이 하고 언어도 독일어와 더 붙여야 하죠."

그는 잠깐 생각에 잠기더니 말을 이었다.

"근데 가장 큰 문제가 독일 사람들은 시를 안 읽습니다."

"아, 독일도 그래요? 미국도 프랑스도 시를 안 읽는대요. 한국이 유별나게 시를 많이 읽는 편이라던데요."

"제가 시 번역 수업을 하면 관심 있는 학생들이 오거든요. 근데 대부분 한국어는 고사하고 독일어 시를 읽은 적이 없어요. 시를 읽는 문화가 없어요. 독일에도 문단이 있지만 작아요. 인디밴드처럼 A가 시 쓰면 B가 와서 듣고, B가 시 쓰면 A가 와서 듣죠. 한국은 이제니 시인처럼 난해한 시를 써도 몇만 부가 팔리는데 너무 놀라워요. 아방가르드의 나라인가?(웃음) 독일 학생을 가르칠 때는 독일어 시를 읽게도 하고 쓰게도 해야 하니까 참 어려워요. 이번에 어문학과 교수들이 다 그러더라고요. 요새 들어온 학생들은 불어를 배우든 일본어를 배우든 독어가 안 되기 때문에 독어를 먼저 가르쳐야 한다고. 문해력이 많이 떨어졌어요."

"세계적인 추세네요. 문해력 부족은 한국에서도 사회 문제예요. 그렇지만 한국은 시를 쓰려는 사람이 많아요."

"그만큼 욕구가 있는 거죠. 이 언어를 쓰고 싶은 욕구가 있고, 한국어가 끝까지 개발이 안 됐다는 인식이 아직도 있어요. 독일에서 시를 안 쓰는 이유는 다 했다, 언어의 극점까지 가봤다, 재개발할 게 없다는 생각 때문이에요. 한국어는 아직도 (인터뷰하는 책방 앞에 있는) 저 낡은 철물점 같은 부분이 많아요. 저런 것들이 아파트로 변해가는 과정이 문학사라고 한다면 미개발된 부분이 많고, 근원을 추적할 수 있는 부분이 많아서 재밌죠. 그게 감정이랑 접촉했을 때 이상한 프리즘을 거쳐서 나오죠. 산문시가 어지럽잖아요. 구분이 안 되고 형식도 알 수가 없고요."

바로 이것이다. 한국에서는 시가 아무리 어려워도 독자들이 수용한다. 그런데 시가 죽어 있는 독일에서 한국문학이 어떻게 읽힐 수 있을까?

"저도 재밌게 생각하는 부분인데 K-팝 팬픽의 수요가 엄청나요. 한국을 알고 한국을 읽고 싶은 욕구가 K-팝 필터를 통해 들어오는 거죠. 팬픽들 서사가 대체로 비슷해요. '독일에 살던 내가 우연히 한국에 가서 사랑하는 K-팝 스타를 만난다.' 이 서사를 가진 책들이 지금 종이책으로 많이 나오고 많이 팔려요."

이런 배경으로 볼 때 독일어권에서 한국 시를 수용할 준비가 되어 있다는 게 그의 생각이다. 특히 현재 작업 중인 김혜순 시에 대해서도 긍정적으로 내다보았다.

"김혜순 시인은 작품도 너무 뛰어나지만, 특히 최근 요청되는 '여성으로서의 글쓰기'를 시와 시학 모두에서 완벽하게 보여주고 있다는 점이 서구에서 조명받는 이유 중의 하나인 것 같아요. 기존의 남성적 시어를 전복시키고 재편하는 방식도 그렇고요. 김혜순 시인의 시가 결코 쉬운 편이 아님에도 최돈미 번역가의 번역이 팝적인 감각이 뛰어나서 읽기 쉬운 게 한몫하는 것 같아요. 이런 일련의 과정을 보면서, 아직 알려지지 않은 한국 시를 소개할 때 다가가기 쉬운 방식, 읽기 쉬운 방식으로 번역해야 한다는 쪽으로 제 생각도 바뀌는 중입니다. 대부분의 외국인이 처음 접하는 한국 음식이 라면이나 불닭볶음면인데요.(웃음) 그러다가 언젠가 사찰 음식의 맛도 음미할 수 있게 되듯이 감각도 거친 것에서 시작해서 섬세한 쪽으로 나아가는 것이 아닐까, 그런 생각을 할 때도 있어요. 기본적으로는 팝 문화 현상인 한류라는 흐름을 어떻게 문학적으로 잘 이용해야 할지, 전략적인 생각이 필요할 듯합니다."

제3의 언어는 평화지대

박술의 집안은 독일과 인연이 많았다. 할아버지가 독일 예수회 학교인 일본 소피아대학교에서 공부하고 서울대학교 철학과 교수를 지냈다. 아버지는 1970년대에 독일 클라우스탈대학교에서 물리학을 공부하고 나사에서 근무했다. 독일에서 태어난 형은 과학자다. 어머니는 당시 불문학을 전공한 파리 유학생으로 영어, 불어, 독어, 이탈리아어 등 여러 언어에 능하다. 그런 어머니의 영향으로 그는 어릴 때부터 슈베르트와 슈만의 가곡 가사를 외우면서 자랐다. 진짜 공부를 하려면 독일로 가야 한다는 집안 분위기가 있었다. 과천외고 1학년이던 박술이 남산에 있는 주한독일문화원에서 독일어를 한 달 배우고는 '혜세의 나라'로 날아간 이유다.

　　인터뷰를 준비하며 그의 성장배경을 알고 나자 마음이
복잡했다. 내가 살면서 마주칠 일이 없는 소위 '금수저' 부류
가 아닌가. (근데 이미 마주했다.) 물론 시인이자 시 번역가로
서 이야기를 듣는 것이지만, 나는 인터뷰어로서 기득권 계
층의 목소리 전달자가 되어야 할 경우 스스로 납득할 만한
명분을 찾고 싶어진다. 가진 게 많은 집안에서 태어난 게 문
제는 아니다. 엥겔스는 자본가의 아들이었다. 아버지로부터
물려받은 방직공장을 운영하며 마르크스가 연구를 이어가
도록 끊임없이 지원했다. 박술은 자신의 계급 조건에 대해
어떤 생각을 가지고 있을까. 대화가 무르익을 즈음 질문을
건네보았다.
　　"스스로 특권층이라고 생각하세요?"
　　"(1초 만에) 그럼요. 되게 싫었어요. 고등학교 기숙사에
있다가 대학에 들어가면서 도시로 나왔을 때 내가 이상한 존
재란 걸 알았어요. 저는 양복 입고 넥타이 매고 있었거든요."
　　"스무 살에요?"
　　"네. 대학에 들어가서 평상복을 입은 사람들을 보고 '쟤
는 왜 저렇게 입고 학교에 왔지? 생각이 없나?' 생각했죠. 몇
달 동안 그러다가 친구들이 생기면서 내가 이상하구나, 나에
게 문제가 있구나, 지금까지 살아온 삶이 남들과 너무 다른
삶이란 걸 알았죠."

"한국에 살 때는 어땠어요?"

"우리 집이 뭔가 특별하다는 건 알았죠. 문화적 자원이 매우 많다는 게 자랑스럽기도 하고요. 근데 뮌헨에서 친구들이 예술가로 채워질 무렵에 인식이 생겼어요. 보통 사람이 가질 수 없는 걸 내가 너무 당연하게 생각하며 살아왔구나."

"자각하고 나서 삶에 어떤 변화가 생겼나요?"

"집안 남자들이 다 교수라서 저도 당연히 교수가 되어야 한다고 생각했는데 거기에 저항하기 시작했죠. 예술가 친구들과 작업하고 시도 쓰면서 '나는 아니다'라고 생각하는 시기가 길었죠. 양복 입은 사람, 철학자가 되고 싶지 않았어요. 예술가 친구들은 평범하고 평범하지 않았죠. 해방감이 들었어요. 뭔가 뒤틀려 있고 망가져 있는 자연스러운 모습이 좋았고 그 모습이 갖고 싶었어요."

교수 집안의 이단아를 꿈꾸며 예술가 친구들과 어울리던 박술은 예술가 아내를 만났다. 친구들이랑 길에서 술을 먹다가 우연히 합석한 일행에 그녀가 있었다. 너무 예뻐서 바라만 보다가 다음 파티에서 만나서 말을 걸었다. 오타쿠 청소년 시절 서브컬처를 통해 배운 어설픈 일본어가 유효했다.

"말이 안 통해서 좋았어요. 말이 완벽하게 통하지 않는데, 왜 나를 좋아하냐고 처음에 물어봤는데 잘 모르겠다고 하더라고요. 내 말을 못 알아듣고도 날 좋아한다는 거니까, 그러면 너무나 좋아하는 거겠구나!"

그가 본능으로 알아차린 이런 느낌에 관해서라면 알도 팔라체스키가 소설 《연기 인간》에서 이미 아름답게 서술했다. "사랑은 말을 필요로 하지 않죠. 사랑은 자연의 거대한 작품과도 같아요. 인간의 언어로는 이해할 수 없기 때문에 그저 침묵으로 부르는 그런 자연 말입니다."[2]

　2018년에 웨딩마치를 울렸다. 한일 부부는 평상시 주로 독어를 쓰거나 일어와 독어를 섞어서 쓴다. 가령, "あのTürを zumachenして?" '아노(あの)'는 '저'고 '튀어(Tür)'는 '문'이고 '츠마센(zumachen)'은 '닫혀 있다'다. "저 문 좀 닫아줄래"라는 말에도 두 언어가 섞여 있는 식이다. 그래서 싸움이 성사되기 어렵다. 왜냐하면 대부분의 문제가 언어 때문에 일어나는데, 서로 그냥 언어적으로 오해가 있었구나 생각하고 지나가서다.

　"외국어로 소통하면 배려하는 공간이 넓어요. 특히 동아시아 언어는 조사 같은 게 민감해서 속마음이 다 드러나잖아요. 그게 없으니까 좋죠. 친구 사귈 때 제3언어로 하는 게 제일 편안해요. 중립국에서 만나는 것 같아요. 평화지대. 그리고 그 언어가 옛날 말이면 더 좋아요. 예를 들어서 동아시아 친구들을 만나면 한자나 고전 문장에 대해 말할 수도 있잖아요. 되게 편안해요. 우리가 거기서 하나가 되는 것 같아요. 내 말이 아닌 공통된 것을 가지고 있으면 관계가 편안해지죠."

육아를 모르는 칸트

"모든 아이들은 신이 아직 인간에게 실망하지 않았다는 메시지를 가지고 태어납니다."[3]

결혼 3년 후 신의 전언을 지참한 아기가 박술 부부에게로 왔다. 초반에는 부부가 일주일씩 육아를 전담했다. 예술 장신구를 하는 공예가 아내가 작업에 전념할 시간 확보를 위해 제안한 것이다. 그런데 막상 실행해 보니 일주일을 통째로 아이를 보는 게 너무 힘들어서 하루씩 교대하는 육아로 바꾸었다.

"아빠가 되고 나니까 어떠세요? 저는 엄마가 되고 나서 보이는 세상이 완전 달라졌거든요."

"달라요. 언어가 없어도 괜찮은 것 같아요."

"네? 언어의 숭배자잖아요!(웃음)"

"그게 없는 존재가 나왔잖아요. 언어 없이도 소통 가능해야 하고, 내가 알아들어야 하고요. 또 모든 사람이 사실은 다 남의 애잖아요. 그게 되게 좋았어요. 아무리 추하고 악해도 결국은 애라는 건데 그런 생각이 들면 다 사랑스러워요. 이런 생각도 했어요. 아기들이 되게 빨리 울잖아요. 그런 것처럼 그냥 보통 사람들이 길에서 임계점이 지나자마자 울어버리면 어떤 풍경일까?"

"예술가적인 상상력이네요. 어른도 울고 싶을 때 경계

없이 울면 좋겠어요."

"세상이 더 따뜻한 공간으로 느껴져요. 애들을 자꾸 보게 되고, 어떤 사람의 애 같은 모습을 보게 되기도 하죠. 전에는 친구들이 예술가 아니면 학자밖에 없었는데, 이제 길 가다가도 애 키우는 사람들이랑 말을 많이 해요. '애 몇 개월이에요?' 막 이러면서 대화하는 게 너무 좋아요."

타고르의 시구대로, 박술은 아기를 통해 인간에 대한 사랑을 회복했다. 그가 육아에 이토록 빠르게 적응한다는 사실이 나는 신기했다. 평생을 언어의 과잉 상태에서 살아가고 공부하던 사람이 언어의 기능이 축소된 상태에서 배우자를 만났고, 언어가 무용한 상태에서 아이를 키운다. 그렇지만 학자의 호기심이 튀어나오는 건 어쩔 수 없나 보다.

"옹알이 해석, 옹알이 번역을 해보려고 많이 노력했어요."

"옹알이라니, 너무 오랜만에 들어본 귀여운 단어예요."

"육아가 되게 좋은 영향을 미치는 것 같아요. 감성적으로 특히 남자(인 저)한테. 남자는 아예 막혀 있잖아요. 처음에는 애를 그냥 동물과 같은 존재로 보다가, 내가 돌봐야 하니까 이게 되게 힘든 일이잖아요. 허드렛일이고, 계속 곁에 있어야 하고."

"티도 안 나는 일의 무한 반복이죠."

"티도 하나도 안 나고 못 하면 울고. 이런 일을 하다 보니까 발견되는 심성들이 있어요. 그리고 니체나 쇼펜하우어 칸트 다 애 없잖아요. 결혼도 안 했어요. 이런 생각이 드

248

는 거예요. 뭘 알겠냐. 육아를 하지 않은 딱딱하고 남성적인 사고가 되게 하찮을 수도 있다는 생각이 들더라고요. 저렇게 맑고 획일적인 생각들이 세상의 중요한 부분은 안 보는 사람들한테서 나온 거잖아요. 철학도에게 들어서는 안 되는 생각이기는 한데, 어떤 순간에는 《순수이성비판》이 되게 하찮아 보이기도 했어요. '네가 뭐라고, 이거 안 해봤잖아.'"

"맞는 말인데 육아 꼰대 되시면 곤란해요.(웃음)"

"나중에는 이러면 안 되겠다는 생각이 들었지만, 처음에는 이렇게 중요하고 아름다운 부분을 전혀 모르는 사람들이 위대한 지성, 위대한 시인 소리를 듣는 게 우스웠죠."

"여성 작가도 비출산 여성들이 많아요. 버지니아 울프, 제인 오스틴, 쉼보르스카……."

"아, 그러네요."

실비아 플라스는 시인 테드 휴즈와 결혼해 두 아이를 낳았다. 이혼 후 혼자 아이들을 키우며 시를 쓰다가 서른한 살에 스스로 생을 마감했다. 전남편 테드 휴즈는 영국 계관시인이 되었다. 그녀의 생애를 다룬 영화 〈실비아〉에는 이런 대사가 나온다. "당신은 자전거 산책을 나가도 시를 써 오지. 나는 시를 쓰려고 해도 빵밖에 구울 수 없어요."

한 생명을 길러내는 일에는 절대적인 시간과 신경과 에너지가 소모된다. 보통은 엄마가 자신의 것을 헐어서 내어준다. 철학자나 노벨문학상 수상자가 한쪽 성별에 심하게 편중

된 것은 그들이 우월해서가 아니라 어려서부터 자신에게만 집중해서 살아갈 수 있는 구조에서 태어났기 때문이다. 육아와 살림은 여자의 본분, 일과 학문은 남자의 본분으로 구획된 게 자본주의보다 더 오래된 가부장제의 역사다. 이러한 불합리한 상황에서도 역작을 남긴 훌륭한 여성들이 더러 있었는데 대개 아이가 없거나 집안이 좋은 경우다. 버지니아 울프도 아버지가 학자였다. 누대에 걸친 지성적 문화적 양분이 유전자에라도 축적돼 있어야 위대한 지성이라는 소리를 들을 수 있었다.

나는 이 고통스럽고 아름다운 돌봄의 세계에 남성도 속속 편입되어야 한다고 믿지만 이마저도 남성의 언어가 파급력을 갖고 공론화된다면 화가 날 것 같다. 그럼에도 아이라는 비언어적 존재에 폭 빠진 그가 '칸트, 애 키워봤어?'라는 제목으로 육아서를 쓴다면 어떤 내용일지 상상해 보는 건 즐겁다.

니체, 비트겐슈타인, 횔덜린

번역가 박술의 또 하나의 축은 철학서다. 비트겐슈타인의 《전쟁 일기》와 니체의 《비극의 탄생》을 번역했다. 《비극의 탄생》은 책세상에서 나온 이진우 번역, 아카넷에서 나온 박찬국 번역을 포함해 읻다에서 나온 박술 번역이 국내에서 일곱 번째 역서다.

"다른 번역과 어떻게 다른가요?"

"아름답다!"

"다른 번역보다요?"

"원본보다 아름다워요. 솔직히 말하면 원본의 문체가 읽기에 아주 아름답지는 않거든요. 초기 니체의 자아가 아직 커지지 않은 상태라서 약간 진부한 칸트나 실러의 문장으로 자기 철학을 말하는데 잘 안 돼요. 문장이 엄청 길고 난해해서 많이 끊었고, 흔히 쓰는 번역어를 안 썼어요. 같이 번역하신 분이 불교 연구자라서 번역어 채택의 폭이 좀 더 넓었어요. 예컨대 '다이몬'을 보통 '악귀'로 번역하거나 '다이몬'을 그대로 쓰는데 저희는 '신귀'라고 했죠. 리듬도 자르고 다듬어서 마치 후기 니체의 말투로 들리죠. 더 장엄하고 더 메시아 같은 약간 무협지 말투로 소개했어요."

"그런 허용이 가능한가요? 초기 니체를 살리는 것도 중요한 거 같아서요."

"결과물이 진부한 문체면 의미가 없죠. 결국은 이 사람의 정신을 번역하는 게 중요한데 니체의 경우 리듬이 없으면 철학 전달이 안 되죠. 저의 덕심이 잘 번져나갈 수 있도록, 내가 경험한 니체가 독자에게도 비슷한 방식으로 경험될 수 있도록 더 공을 들였어요. 번역이야 다른 번역서가 많으니까 비교할 수도 있고요."

"독자가 비교해 보고 판단하면 되겠네요. 《차라투스트

"육아를 하지 않은 딱딱하고 남성적인 사고가 되게 하찮을 수도
있다는 생각이 들더라고요. 저렇게 맑고 획일적인 생각들이
세상의 중요한 부분은 안 보는 사람들한테서 나온 거잖아요."

라는 이렇게 말했다》도 번역이 많이 나와요."

"번역하기 어려운 책일수록 번역이 많이 된 경향이 있어요. 독일어로 제일 많이 번역된 책이 《도덕경》이에요. 125종이 있어. 두 번째는 《바가바드 기타》인데 100종 넘게 있어요. 그러니까 번역 불가능한 것처럼 보이는데 누구나 할 수 있는 거예요. 반대로 내 해석이다, 나는 이렇게 느꼈다, 이렇게 될 수 있죠. 하이데거의 《존재와 시간》도 일본어 번역이 7종 정도 있어요. 어려울수록 해보고 싶기도 하고, 남이 잘못한 게 많이 보이기도 하고요."

박술의 《차라투스트라는 이렇게 말했다》도 당연히 나올 예정이다. 그는 현재 《우상의 황혼》을 번역 중인데, 앞으로 《선악의 저편》과 《이 사람을 보라》까지 니체 선집을 번역할 계획이다. 니체 독자인 나야 좋지만서도 한편으론 걱정되고 또 궁금했다. 분량이 많아서 시간이 오래 걸리고 찾는 독자가 줄어드는데도 그로 하여금 계속 번역을 하게 하는 동력이 무엇일까.

"팔릴 줄 알았죠.(웃음) 워낙 훌륭한 작품이니까요. 근데 안 팔리는 모습을 보면서 생각을 고치고 있어요. 그만해야겠다. 처음에는 내가 좋으니까 남들도 좋겠지, 했는데 너무 순진했죠. 근데 안 팔린 번역서 덕을 봐요. 독일에서 저의 포트폴리오나 이력서에 니체, 비트겐슈타인, 노발리스, 횔덜린 같은 번역서들이 있기 때문에 결과적으로 누구도 무시할 수 없게 됐어요. 그걸 바라고 번역한 건 아니지만 저는 그걸로 특화가 됐죠."

그는 최근 휠덜린 시 〈티니안〉을 번역하다가 산문을 쓰게 되었다.

"티니안은 사이판 옆에 있는 섬이에요. 당시에 독일 식민지였어요. 그 섬에 대해서 조사하다 보니까 조선인 징병들이 사탕수수를 재배하고 군사 작업을 하던 곳인 거예요. 그리고 일본군 점령 이후에는 일본에 떨어지는 원자폭탄 두 개가 출발한 곳이고요. 휠덜린의 시 속에서는 엄청 이국적이고 이상적이고 아름다운 야생의 공간으로 나오는데 식민지 역사가 맞물려 있죠. 4만 명 가량의 원주민이 스페인 식민지가 된 다음에 다 죽어서 한 100년 만에 그 수가 40명으로 떨어져요. 또 전쟁에서 패배한 스페인이 독일에 팔았다가 독일이 또 일본에 뺏기고 일본이 거기서 한국인을 징용하고 이런 역사가 다 섞여 있는 걸 알게 됐죠. 그래서 번역은 제쳐놓고 그 내용으로 글을 썼어요. 글을 실을 지면을 찾고 발표했는데, 반응이 되게 좋아요. 사실 처음 받아본 반응이고 활동이죠. 그들이 보기엔 너무 재밌나 봐요."

잘못 들어선 길이 지도를 만든다고, 안 팔리는데도 꾸준히 쌓아온 번역 목록이 '박술만의 지도'를 만들어주었다. '티니안'에 관한 산문을 계기로 그는 한국이나 동아시아라는 테마로 글을 쓰는 것으로 연구 방향을 정했다. 또 독일어로 번역한 서산대사가 쓴 불교책《선가귀감》(공역), 그리고 영어로 번역한 《조선사상사》도 출간할 예정이다.

철학의 교섭

86년생 박술. 한자로 '쓸 술(述)'을 쓴다. 논술 할 때 그 술, 술이부작(述而不作) 할 때 그 술. 태어나자마자 존재 규정이 된 그는 할아버지가 지어준 이름대로 시인, 번역가, 학자로서 '쓰는 어른'이 되었다. 두 개의 언어에 깊이 연루된 채 청춘을 보낸 그의 박사 논문 제목은 《경계 언어의 모순과 번역의 문제》다.

"경계 언어라는 말은 제가 만들었어요. 철학 텍스트와 시 텍스트는 경계 언어죠. 조금만 경계를 넘어와도 시는 산문이 되어버리거나, 반대쪽의 경계를 넘으면 무의미가 되어버리죠. 언어마다 경계에 걸친 언어를 직조하는 방식이 있어요. 그것들이 번역될 때는 의미 시스템 내에서는 모순으로밖에 보이지 않죠. 그래서 모순이라고 표현했어요. 시어를 평범한 상황에서 바라봤을 때는 말이 안 되죠. 말이 안 되는 걸로 말을 만드는 일종의 기술이 있어요. 그 기술로 만든 텍스트를 다시 번역할 때는 어떤 기술을 써야 되는지에 대한 애기입니다."

이러한 논문 주제는 그가 추구하는 '좋은 번역'에 대한 생각과도 맞닿아 있다.

"내가 어떤 문장을 처음 만났을 때 아무것도 모르겠고 너무 신비롭고 비밀스러워서 매일매일 외워서 보고 싶은 마음이 들잖아요. 아름다운 그 느낌이 그대로 있으면 좋겠어요. 어려우면 어려운 대로 알 수 없으면 알 수 없는 대로, 표현 불가능한 거는 표현 불가능하게 번역해야 하는데 보통 풀어버리거든요. 내 해석에 따라 달라지는 걸 최소화하기. 그게 번역에서 제일 중요하지 않을까요."

박술은 올해부터 힐데스하임대학교 철학과에 속한다. '집안 남자들'과 다르게, '예술가 친구들'과 비슷하게 살고자 했으나 아이가 태어나면서 현실적인 생계 대책을 고민하다가 결국 교수의 길을 택했다. 학자로서의 꿈은 이렇다.

"한국 또는 동아시아와 서양 철학의 교섭이라서 '번역'이라는 키워드가 들어갈 수밖에 없어요. 제가 하는 프로젝트는 아마도 '번역사로서의 세계 철학사'가 될 것입니다. 상호문화 철학Interkulturelle Philosophie이라고 보통 영미권에는 비교철학Comparative Philosophy이나 세계철학Global Philosophy이 있는데, 그것의 독일 버전이에요."

"번역사로서의 세계 철학사라니, 엄청난 작업이 될 것 같아요. 저 같은 비연구자에게는 직접 와닿는 주제는 아니기도 해요. 내가 하는 일이 세상에 어떻게 기여하길 바란다는 소신이 있나요?"

"번역가로 살 때는 죽은 사람 말을 다시 들려주는, 강령

술이나 빙의같이 없어진 사람의 말을 내가 대신 해준다고 생각했어요. 지금은 한국이라는, 사상사적으로 철학적으로 문학적으로 거의 알려지지 않은 공간을 어떻게 잘 붙일 수 있을까, 어떻게 연결시킬 수 있을까, 어떻게 소통시킬 수 있을까를 고민하고 있어요. 정확히 말하면 합치는 건 아니고요. 사실 우리는 그쪽의 대화를 많이 듣잖아요. 근데 그들이 이제 들을 준비가 좀 됐어요. 그러면 어떤 얘기를 해줘야 하고 어떻게 이어줘야 할까. 항상 서양에서는 철학은 서양밖에 없다고 하거든요. 유교든 불교든 종교라고 보는데 그게 아니라 대등한 레벨에서 대화가 어떻게 이루어져 왔고, 지금도 이미 이루어지고 있고, 앞으로 어떻게 해야 하는지가 포커스가 되겠죠."

동서양 언어와 철학을 횡단하는 그를 보니《차라투스트라는 이렇게 말했다》'건강을 되찾고 있는 자' 편에 나오는 구절 "모든 여기를 중심으로 저기라는 공이 굴러간다. 중심은 어디에나 있다"[4]라는 문장이 떠오른다. 니체가 되고 싶었던 소년은 하나의 중심을 거부하고 수많은 정신과 부딪치며 '즐거운 학문'을 이어가고 있다.

언어 폭발

그와의 인터뷰는 서울 동선동의 작은 책방 '부비프'에

서 진행됐다. 부비프는 동유럽 도시의 이름에서 따왔다. 그래서인지 책방 내부 가구와 패브릭, 조명 같은 소품은 20세기 동유럽 부르주아 가정의 거실에 온 듯한 기분을 들게 했다. 박술은 부비프라는 동네에 살던 사람처럼 책방 공간과 썩 어울렸다. 인터뷰를 막 시작하며 우린 이런 대화를 나누었다.

"독일에서는 제가 인터뷰를 진행해요. 도록에 들어갈 비평문을 쓰기 위해 예술가를 만나죠. 제가 주로 묻고 듣는데, 인터뷰이가 말이 많으면 되게 힘들어요. 막 4시간씩 말하는 사람도 있어요. 근데 오늘은 제가 말을 하게 돼서 이미 죄송해요."

"4시간 하실 건가요?(웃음)"

"내 말을 들어야 되다니! 세상 부끄럽네요."

"인터뷰는 매번 도입부가 어색하고 부끄럽더라고요."

"보통 어떻게 시작해요? 예술가들은 술 마시면서 하니까 편해요. 이미 취해 있거나.(웃음)"

"그래서 4시간이나 하는구나. 술 좋아하세요?"

"이름이 술이라서 최대한 자제하면서 살려고 합니다."

인터뷰를 마친 후, 박술은 이렇게 말했다.

"인터뷰어의 입장에 있다가 인터뷰이가 되어보니까 이쪽이 훨씬 쉽네요. 하하하."

일이 끝난 홀가분함에 나도 빙그레 따라 웃었다. 그런데 그는 (예고한 대로) 4시간이나 말하진 않았는데 4시간 분량의 녹취록을 생산했다. 술을 자제한 상태에서 1.5배속으로 말하기 기술을 갖고 있었던 것이다. 하하하. 술도 없이, 술과 함께한 한국 시 번역가의 마지막 인터뷰는 그렇게 언어 폭발로 끝이 났다. 우리를 언제나 취한 사람으로 만들어주는 영원한 테마인 외로움에 대해, 니체에 대해, 육아에 대해, 시에 대해, 아름다움에 대해, 언어에 지배당한 삶에 대해 잘도 떠들었다. 하하하.

주

시에 도착하는 사람들

1 최승자, 《물 위에 씌어진》, 천년의시작, 2011년, 4쪽.
2 오드리 로드, 《시스터 아웃사이더》, 주해연·박미선 옮김(후마니타스, 2018년), 43쪽.
3 에리히 프롬·라이너 풍크(엮은이), 《우리는 여전히 삶을 사랑하는가》, 장혜경 옮김(김영사, 2022년), 112쪽.
4 유계영 외, 《영원과 하루》, 타이피스트, 2023년, 29쪽.
5 김시종, 《지평선》, 곽형덕 옮김(소명출판, 2018년), 191쪽.
6 라이너 쿤체, 《나와 마주하는 시간》, 전영애·박세인 옮김(봄날의책, 2019년), 110쪽

즐거운 오해

1 메리 올리버, 《천 개의 아침》, 민승남 옮김(마음산책, 2020년), 43쪽.
2 숀 페이, 《트랜스젠더 이슈》, 강동혁 옮김(돌베개, 2022년), 357쪽.
3 리베카 솔닛, 《세상에 없는 나의 기억들》, 김명남 옮김(창비, 2022년), 218쪽.

하지만 저는 해요

1 이성복, 《그 여름의 끝》, 문학과지성사, 1990년, 5쪽.

2 이성복, 《무한화서》, 문학과지성사, 2015년, 169쪽.

3 오드리 로드, 《시스터 아웃사이더》, 주해연·박미선 옮김(후마니타스, 2018년), 217쪽.

4 미류, "깃발처럼 오시라", 《경향신문》, 2021년 11월 2일 자.

초과 선언

1 에밀리 디킨슨, 《절대 돌아올 수 없는 것들》, 박혜란 옮김(파시클, 2020년), 101쪽.

2 프리드리히 니체, 《차라투스트라는 이렇게 말했다》, 정동호 옮김(책세상, 2015년), 92쪽.

3 롤랑 바르트, 《롤랑 바르트, 마지막 강의》, 변광배 옮김(민음사, 2015년), 179쪽.

4 진은영, 《일곱 개의 단어로 된 사전》, 문학과지성사, 2003년, 41쪽.

5 수사네 쿠렌달, 《나, 버지니아 울프》, 이상희 옮김(어크로스, 2023년), 108쪽.

6 위의 책, 95쪽.

동화가 잘되는 편

1 엘렌 식수, 《글쓰기 사다리의 세 칸》, 신해경 옮김(밤의책, 2022년), 25쪽.

2 사사키 아타루, 《이 치열한 무력을》, 안천 옮김(자음과모음, 2013년), 135쪽.

3 위의 책, 152~153쪽.

반짝반짝 한국어

1 김혜순, 《여성이 글을 쓴다는 것은》, 문학동네, 2022년, 250쪽.

이상 엄마 스피릿

1   가즈오 이시구로 노벨문학상 수상 연설문.

2   이상, 〈꽃나무〉, Excerpt from "Flowering Tree," from Yi Sang: Selected Works, copyright 2020 by Yi Sang. Used with the permission of the translator and Wave Books.

아름다움 교섭하기

1   루트비히 비트겐슈타인,《전쟁 일기》, 박술 옮김(인다, 2022년), 413쪽.

2   알도 팔라체스키,《연기 인간》, 박상진 옮김(문예출판사, 2023년), 150~151쪽.

3   라빈드라나트 타고르,《길 잃은 새》, 문태준 옮김(청미래, 2016년), 44쪽.

4   프리드리히 니체,《차라투스트라는 이렇게 말했다》, 정동호 옮김(책세상, 2015년), 360쪽.

우리는 순수한 것을 생각했다

발행일 2023년 6월 14일 초판 1쇄
발행일 2023년 7월 26일 초판 2쇄

지은이 은유	등록 제2017-000046호, 2015년 3월 11일
기획 인다	주소 (04035) 서울시 마포구
	양화로 11길 64, 401호
편집 최은지·김준섭·이해임	전화 02-6494-2001
표지 디자인 김마리	팩스 0303-3442-0305
본문 디자인 이지선	홈페이지 itta.co.kr
사진 이해임	이메일 itta@itta.co.kr
제작 영신사	
펴낸곳 인다	
펴낸이 김현우	

ISBN 979-11-89433-81-9 03810

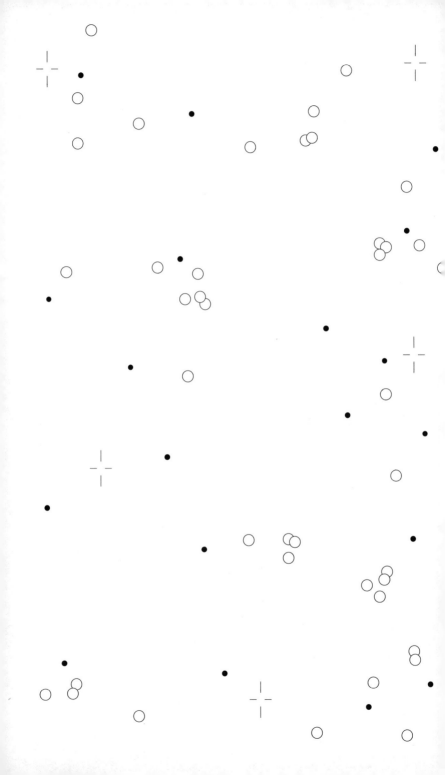